Los misterios de Madrid

Biblioteca Antonio Muñoz Molina
Novela

Antonio Muñoz Molina

Los misterios de Madrid

Seix Barral

El papel utilizado para la impresión de este libro es cien por cien libre de cloro, está calificado como **papel ecológico** y ha sido fabricado a partir de madera procedente de bosques y plantaciones gestionadas con los más altos estándares ambientales, garantizando una explotación de los recursos sostenible con el medio ambiente y beneficiosa para las personas.

Avinguda Diagonal, 662, 6.ª planta. 08034 Barcelona (España)
www.seix-barral.es

Diseño de la colección: Hans Geel
Ilustración de la cubierta: Hans Geel
Fotografía del autor: © Ricardo Martín
Primera edición en Colección Booket: febrero de 2007
Segunda impresión: octubre de 2007
Tercera impresión: septiembre de 2008
Cuarta impresión: octubre de 2009

Depósito legal: B. 41.445-2009
ISBN: 978-84-322-1756-2
Impresión y encuadernación: Litografía Rosés, S. A.
Printed in Spain - Impreso en España

Biografía

Antonio Muñoz Molina nació en Úbeda (Jaén) en 1956. Cursó estudios de periodismo en Madrid y se licenció en historia del arte en la Universidad de Granada. Ha reunido sus artículos, reconocidos en 2003 con los premios González-Ruano de Periodismo y Mariano de Cavia, en volúmenes como *El Robinson urbano* (1984; Seix Barral, 1993 y 2004). Su obra narrativa comprende *Beatus Ille* (Seix Barral, 1986 y 1999), *El invierno en Lisboa* (Seix Barral, 1987 y 1999), que recibió el Premio de la Crítica y el Premio Nacional de Literatura, ambos en 1988, *Beltenebros* (Seix Barral, 1989 y 1999), *El jinete polaco* (1991; Seix Barral, 2002), que ganó el Premio Planeta en 1991 y nuevamente el Premio Nacional de Literatura en 1992, *Los misterios de Madrid* (Seix Barral, 1992 y 1999), *El dueño del secreto* (1994), *Nada del otro mundo* (1994), *Ardor guerrero* (1995), *Plenilunio* (1997), *Carlota Fainberg* (2000), *En ausencia de Blanca* (2001), *Ventanas de Manhattan* (Seix Barral, 2004) y *El viento de la Luna* (Seix Barral, 2006). Desde 1995 es miembro de la Real Academia Española. Vive en Madrid y Nueva York y está casado con la escritora Elvira Lindo.

Para Elvira Lindo

«Madrid es tan novelesco que su novela más perfecta es la de lo insucedido.»

Ramón Gómez de la Serna
Nostalgias de Madrid

NOTA: *Los misterios de Madrid* se publicó por capítulos en el diario *El País* entre el 11 de agosto y el 7 de septiembre de 1992.

Capítulo primero

UNA CITA ENIGMÁTICA

Daban las once de la noche en el reloj de la plaza del General Orduña, ahora de Andalucía, cuando Lorencito Quesada, corresponsal en nuestra ciudad de *Singladura*, el diario de la provincia, se detuvo ante la puerta de la sacristía del Salvador, en un callejón a espaldas de la plaza Vázquez de Molina, sin atreverse a golpear el llamador, aunque había luz dentro y sabía que lo estaban esperando. Tenía la sospecha de encontrarse en el umbral de una inminente gloria periodística, que hasta entonces, desde hacía no recordaba cuántos años, se le había negado tozudamente, y no por culpa suya, ni por falta de vocación ni de méritos, sino por el maleficio de esas mezquindades que son el pan de cada día en las provincias más incultas.

Comprobó que llevaba consigo su diminuto cassette Sanyo, en el bolsillo superior de su cazadora de ante, junto a la libreta de las *interviews* y el bolígrafo Bic, de capuchón metálico, que alguna vez serán reliquias legendarias de la pequeña historia de nuestro periodismo local. Dieron las once en la torre del Salvador y él aún no se había movido: lo perdía la falta de empuje, de esa audacia que ha sido siempre patrimonio de los grandes *reporters* internacionales. El viento frío de la noche de marzo traía desde lejos los redobles de tambores de las bandas que ensayaban para la Semana Santa. Casi temblando, empujó la puerta. Un hombre alto, de cabello ondulado y gris y breve barba blanca, vestido con un batín de seda, le dijo buenas noches separando apenas los labios.

Dos horas antes, ese hombre, don Sebastián Guadalimar, lo había llamado por teléfono a su casa. Para quien no conozca nuestra ciudad, el hecho en sí carecería de importancia. Para Lorencito Quesada, para cualquiera de nosotros, una llamada telefónica de don Sebastián Guadalimar, conde consorte de la Cueva, casado con la última descendiente directa de aquel don Francisco de los Cobos que fue secretario del emperador Carlos V, constituiría un honor tan improbable que habría en él algo de prodigio, o de equivocación. Porque don Sebastián no es sólo (o eso dicen) multimillonario, y aristócrata, y compañero de cacerías del monarca reinante, así como de diversos magnates de la política y de las finanzas: también preside, por privilegio consuetudinario, la cofradía más antigua de nuestra Semana Santa, la del Santo Cristo de la Greña, cuyas trompetas y tambores conmueven desde hace cuatro siglos las madrugadas de los Jueves de Pasión, cuando con la primera luz del día el trono procesional aparece majestuosamente junto a la fachada renacentista de la iglesia del Salvador, que fue fundada por don Francisco de los Cobos y aún pertenece a su familia.

Cuando sonó el teléfono en el comedor de su casa, Lorencito Quesada se reponía de una agotadora jornada de trabajo en los almacenes El Sistema Métrico con un huevo pasado por agua y una copa de quina San Clemente, bebida ésta que por sus cualidades nutritivas ha gozado siempre de su preferencia. Su madre, prácticamente sorda, no había dejado de mirar el drama venezolano o boliviano de la televisión, y Lorencito, que ya se había puesto las zapatillas de paño y empezaba a notar en los pies el calor del brasero, tuvo que levantarse para contestar la llamada.

—¿Don Lorenzo Quesada, por favor?

—Al aparato —dijo Lorencito, tragando con dificultad un suculento bocado de huevo y miga de pan empapado en vino dulce: le gustó que lo trataran de *don*, y que eludieran el enojoso diminutivo que aún sigue padeciendo a pesar de sus años.

—Le habla don Sebastián Guadalimar —al oír ese nombre a Lorencito Quesada se le atragantó lo que él llama con propiedad el bolo alimenticio. Llevaba años queriendo entrevistar para *Singladura* al respetado prócer, sin lograrlo nunca: ahora, inopinadamente, el prócer lo llamaba por teléfono, a su misma casa, como se llama a un amigo, sin reparar en lo tardío de la hora, ni tampoco en las abismales diferencias de posición social. Quiso balbucear un cumplido, y la densa mezcla de huevo, pan y vino quinado se lo impidió. En cualquier caso, no hubiera tenido tiempo de decir nada: la voz untuosa, aunque autoritaria, de don Sebastián Guadalimar pronunció unas palabras que contenían una orden inapelable y luego la comunicación se interrumpió. No era un hombre, contaría luego Lorencito, acostumbrado a que no se le obedeciera, o a que se discutieran sus palabras. Le dijo: «Venga a verme a las once a la sacristía de nuestra capilla», y en seguida colgó. También había dicho algo sobre la discreción absoluta que esperaba de él.

Ya no pudo cenar. Ni siquiera terminó su copa de quina San Clemente ni los residuos del huevo pasado por agua, que habitualmente buscaba hasta el fondo del vaso con la ayuda de una cucharilla en la que estaban inscritas sus iniciales. El dolor de los pies, la expectativa de una cena suculenta, la somnolencia dulce, la fatiga de haber pasado tantas horas en pie detrás de un mostrador midiendo varas de tejido y frotándose las manos mientras una mujer gorda e indecisa dudaba si comprar o no el género, habían desaparecido *como por arte de magia*, pensó después que escribiría cuando se decidiera a contarlo todo. Por fortuna, su madre, adormilada o absorta en la telenovela, no le preguntó quién había llamado, y él estaba tan excitado que ni reparó en la necesidad de inventar un pretexto para salir tan tarde a la calle. Se encerró en su dormitorio, aturdido, nervioso, preguntándose ansiosamente cuál sería el motivo de la llamada, imaginando que don Sebastián iba a acceder por fin a concederle una entrevista, o que lo invitaría a formar parte de algunas de las múltiples iniciativas culturales dirigidas por él, la revista *Sentir cofradiero*, por ejemplo, o incluso el jurado de autoridades y notables que cada año, por Semana Santa, otorga el premio a la mejor procesión…

A las diez menos cuarto ya estaba tan pertrechado como un explorador, como un reportero a punto de emprender viaje hacia un conflicto bélico: descartó el abrigo oscuro en beneficio de la cazadora de ante, por parecerle que esta prenda se correspondía más con el dinamismo periodístico, no se atrevió a ponerse una audaz corbata de cuero que su madre reprobaba, comprobó que el Sanyo tenía pilas nuevas y que se encendía el pilotito rojo de la grabación, dijo «probando, sí, probando» y rebobinó la cinta para asegurarse de que la voz de don Sebastián quedaría registrada, notando de paso que la suya tenía peligrosos agudos, por culpa de los nervios, guardó el bloc y el bolígrafo en uno de los dos bolsillos superiores y luego, cuando se disponía a salir (había resuelto decirle a su madre que se ausentaba para una convivencia de la Adoración Nocturna), se palpó todos los bolsillos y descubrió con horror que ya olvidaba el cassette sobre la mesa de noche, y que además era inútil que se atosigara con la urgencia, porque aún no habían dado las diez y le faltaba una hora de duración intolerable para acudir a aquella cita que él ya había calificado de enigmática, imaginando de antemano el modo en que la contaría en un reportaje a doble página de *Singladura*, o quién sabe si en unas *Memorias* que sólo en su vejez se decidiría a escribir y en las que revelaría algunos de los secretos más antiguos y mejor guardados de la ciudad.

Pero ahora se encontraba delante de don Sebastián Guadalimar y no se atrevía a hablarle por miedo a que le temblara la voz. La sacristía, esa joya de nuestra arquitectura del Renacimiento, permanecía en penumbra, alumbrada tan sólo no por los candelabros que habría preferido Lorencito, de cara a la ambientación de su reportaje futuro, sino por un flexo situado sobre el aparador de las vestiduras litúrgicas. Don Sebastián Guadalimar estaba muy pálido, con sus ojos de águila enrojecidos en los lagrimales, sin aquel pañuelo de seda natural que llevaba siempre al cuello: Lorencito advirtió, además, que entre los olores eclesiásticos propios del lugar flotaba como un residuo de aliento alcohólico. Pensó: «Este hombre es víctima de circunstancias dolorosas, y recurre a mí en petición de ayuda.» Por una vez, la realidad pareció obedecer a sus imaginaciones.

—Querido amigo —dijo don Sebastián—, me he permitido abusar de usted porque no creo que haya en la ciudad nadie más que pueda ayudarme.

A Lorencito Quesada lo embargó la emoción: ya no le importaba la ansiada entrevista, y ni siquiera la gloria periodística o la consideración social, sino las tribulaciones de aquel hombre noble y magnánimo que recurría a él en su desesperación.

—Pídame lo que quiera, don Sebastián, que si está en mi mano yo sabré ayudarle, en la medida de mis pobres fuerzas, con mi modesta pluma...

Don Sebastián, con los ojos brillantes, se acercó a él en la penumbra y le apretó ferozmente el brazo con sus dedos de garra.

—Nos han robado, amigo mío —dijo, con la voz sorda y rota, como de no haber dormido en muchas noches—. Nos han robado la imagen del Santo Cristo de la Greña.

Capítulo II

EL PELUQUÍN COMPROMETEDOR

Sin aflojar la dolorosa presión de sus dedos sobre el brazo de Lorencito Quesada, don Sebastián Guadalimar lo guió por un pequeño corredor abovedado hacia la nave de la iglesia. En la oscuridad se le oía respirar muy afanosamente, por la nariz, porque mantenía los labios apretados en un rictus de dolor. «Ya no hay nada sagrado», murmuró Lorencito Quesada con desolación y reverencia, «ya no respetan nada». Entre aquellas tinieblas sobrecogedoras, en las que resonaban cóncavamente los pasos, chocó de frente, y a la altura de las ingles, con el pico durísimo de un reclinatorio labrado, pero antes que gritar o que llevarse las manos a la parte herida, que era de las más blandas de su anatomía, prefirió apretar los dientes y dejar que una lágrima se le deslizara por la mejilla temblona. «No puedo creerlo», dijo cuando don Sebastián oprimió un conmutador y se encontró frente a la capilla ojival donde el Santo Cristo de la Greña recibe culto desde 1546, como afirman los miembros de su cofradía, o desde dos o tres siglos más tarde, según dicen por lo bajo los directivos de alguna cofradía rival, empeñados en disputarle el decanato de nuestra Semana Santa, igual que le disputan —en vano, desde luego— el *record* en el número de penitentes.

El noble trono dorado, con su basamento de ángeles y de alegorías de los misterios teológicos, estaba vacío. Los cirios de la capilla, y los dos focos recientemente añadidos a la misma, que lo iluminan gracias a un ingenioso mecanismo que se activa con una moneda de veinticinco pesetas, mostraban ahora una oquedad desierta, una pared de piedra desnuda que resaltaba la ausencia de la imagen: el rostro moreno, atormentado, evocó Lorencito, con los hilos de sangre sobre la frente, enmarcado por la negra y caudalosa melena de pelo natural que le cae sobre los hombros agobiados por la cruz y que es una de las reliquias más valiosas de nuestro patrimonio eclesiástico, pues perteneció, como las uñas, a un valiente presbítero de nuestra ciudad (miembro colateral de la familia de la Cueva) que participó en la conquista y evangelización de la Florida, y que padeció martirio a manos de los feroces indios seminolas por no abjurar de su fe. Los indios le arrancaron la cabellera, larga y undosa, a la manera de la época, y también las uñas, que para ser uñas de misionero eran largas y cuidadas, y que ahora relucen en los extremos de los dedos del Santo Cristo de la Greña, asiendo el madero más corto de la cruz. Hace algo más de un siglo, el mártir fue beatificado por su Santidad Pío Nono, y se rumorea que está próxima su canonización...

—Una tragedia, amigo mío, una *débâcle* —don Sebastián permanecía inmóvil delante de la capilla, mirando hacia el trono, todavía del brazo de Lorencito Quesada, como desfallecido—. Algo peor: un escándalo. Calcule en qué lugar quedará la honra de mi casa si se descubre que la imagen ha sido robada. Faltan menos de tres semanas para el Domingo de Ramos. Imagine que llega el Jueves Santo y que nuestra procesión no puede salir con la primera luz del día, según es costumbre secular, *ab urbe condita*, por citar al excelso Tito Livio, al que usted, sin duda, igual que yo, venerará en el altar de sus preferencias. Por supuesto, nadie más que usted está al tanto de esta horrible desgracia. Ni siquiera con mi mujer, la condesa, me he atrevido a sincerarme. Usted la conoce: una noticia así la mataría. La imagen fue robada anoche. Los ladrones forzaron la puerta sur, que tenía los cerrojos podridos de herrumbre. Afortunadamente, la iglesia, por privilegio papal, como usted sabe, no se abre al culto regular. He pensado publicar una nota en *Singladura* —con su inestimable mediación, desde luego— anunciando que la imagen se retira temporalmente al objeto de restaurarla de cara a las solemnidades de Semana Santa. Pero lo cierto, mi joven amigo —permítame que me atreva a llamarlo así, que me reclame de su amistad en estas horas de aflicción—, es que estoy desesperado, al filo del abismo, qué sé yo, de cometer una locura.

A Lorencito Quesada se le empañaron los ojos de lágrimas: don Sebastián era su amigo, lo elegía como su único confidente, le suponía una envidiable familiaridad con las costumbres y el carácter de la condesa y, con la lengua latina, le agradecía de antemano sus buenos oficios ante la dirección de *Singladura*, rogándole —con magistral delicadeza, todo había que decirlo— que mediara en el nada fácil asunto de la publicación de una nota.

—Pídame lo que quiera, don Sebastián —se volvió hacia él y se atrevió a ponerle una mano en el hombro, en la seda tibia y bordada de su batín. Pensó que parecía, tan afilado y pálido, una figura del Greco, ese pintor que hacía los santos alargados por culpa de un defecto de la vista—. Yo haré lo que sea, por usted, por su casa y por Mágina —(había observado con admiración que don Sebastián Guadalimar decía algunas palabras como si las pronunciara con mayúsculas)—. ¿Sospecha usted de alguien? ¿Ha encontrado alguna huella de los ladrones? Piense que con los adelantos actuales de la criminología cualquier detalle, un solo cabello, puede significar una pista.

—Un solo cabello, no —suspiró don Sebastián, y se inclinó para recoger algo que estaba oculto bajo el faldón de terciopelo del trono. Lo sacudió con asco, echó hacia atrás la cabeza y se lo mostró a Lorencito, que se acordó al verlo de la cabellera del evangelizador martirizado—. Un peluquín entero. Estaba aquí mismo, al pie del trono. Uno de los ladrones lo debió de perder mientras desmontaba la imagen.

—¡No lo toque! —Lorencito, que ha enviado algunos reportajes a *El Caso*, si bien hasta el presente no le han publicado ninguno, está muy familiarizado con los procedimientos forenses—. Una pequeña distracción puede destruir una prueba. Le aconsejo que lo ponga cuanto antes en manos de la Policía.

—Ni pensarlo —don Sebastián alzó la barbilla, con ese gesto nobiliario que se ha hecho célebre en nuestra ciudad, y apartó el peluquín del alcance de Lorencito, como temiendo que fuera a arrebatárselo—. No me es posible acudir a la Policía. Sería el escándalo, la ruina. ¿Por qué cree que he recurrido a usted?

—Eso. ¿Por qué? —Lorencito se arrepintió en seguida de haber dicho esas palabras: imaginó, con razón, que había puesto cara de tonto.

—Porque con la ayuda de un hombre como usted, que tiene mundo y *savoir faire*, que sabe moverse, en razón de su oficio, por las más diversas esferas sociales, que sin duda dominará varios idiomas, que está acostumbrado a viajar, es posible que logre recuperar la imagen. Le digo más: porque no necesito a la Policía para saber quién me la ha robado.

—¿Lo sabe usted? —Lorencito procuró no quedarse con la boca abierta y los ojos fijos para no malograr la idea halagadora, aunque desconcertante, que don Sebastián Guadalimar tenía de él. Leía sus artículos, sin duda, estaba al tanto de su obra. Casi se olvidó él mismo de que no habla idiomas, salvo alguna rudimentaria noción de francés, y que no había salido de la ciudad más de tres veces en su vida.

—Cómo no voy a saberlo —don Sebastián Guadalimar hizo un gesto como de desgana, dejando que le cayera un poco el labio inferior, y puso el peluquín ante la cara de Lorencito, que dio un leve repullo, porque un rizo le había cosquilleado la nariz. Era un peluquín de pelo negro, azulado, sintético, casi una peluca de mujer, recogido hacia adentro, con una especie de caracolillo en la parte que debía corresponder a la frente. La mano derecha de don Sebastián, enfundada en el peluquín, parecía una cara encogida y más bien repugnante. Don Sebastián, que pronuncia todas las eses, aunque ha pasado casi toda su vida en nuestra ciudad, hablaba en un murmullo eclesiástico, que se difundía por las oquedades de la iglesia en penumbra como un rumor de confesión—. Este peluquín sólo puede pertenecer a una persona. Alguien a quien usted conoce igual que yo. Un sinvergüenza (la voz de don Sebastián se volvía gradualmente más alta, aunque apenas separaba los dientes, que casi chirriaban), un sepulcro blanqueado, un falso cristiano, un enemigo visceral de nuestra cofradía, un...

Don Sebastián se interrumpió, vuelto hacia Lorencito, agitando delante de él el peluquín, con una expresión de ira que descomponía sus maduras y armoniosas facciones, ennoblecidas por la breve barba blanca, como preguntándole: «Pero hombre, ¿todavía no ha acertado usted a quién me refiero?»

—Perdone usted, don Sebastián, pero es que no caigo.

—Fíjese en ese ridículo caracolillo. Fíjese en la calidad lamentable del material, pelo sintético. Usted, que conoce a todo el mundo en esta ciudad, dígame si sabe de muchas personas capaces de llevar un peluquín así.

Lorencito Quesada, de repente, abrió mucho la boca y los ojos y estuvo a punto de pronunciar un nombre. Pero no era posible, no podía creerlo, aunque en estos tiempos, se decía a veces con desolación, puede creerse todo, hasta lo imposible. Él había visto ese peinado en la cabeza de alguien, había una frente célebre en la ciudad, y prácticamente en todo el mundo, sobre la que relucía aquel caracolillo. Él lo conocía, él se había honrado con su amistad y lo había entrevistado para *Singladura*... Afirmando tristemente con la cabeza bajó los ojos hacia el suelo, donde vio sus zapatones negros y algo polvorientos junto a las pantuflas exquisitas de don Sebastián Guadalimar.

—Matías Antequera —dijo Lorencito, y agregó, como si recitara un eslogan—: El astro de la canción española.

Capítulo III

PREPARATIVOS DE VIAJE

Al oír el nombre de Matías Antequera don Sebastián Guadalimar apretó los dientes y movió con gravedad la cabeza, con un ademán parecido al del médico que confirma en silencio un diagnóstico terrible. Pero Lorencito Quesada, a pesar de la evidencia acusadora del peluquín y de las crudas palabras del magnate consorte, se negaba a creerlo. ¿Matías Antequera un profanador y un ladrón? ¿Matías Antequera, que ha paseado el nombre de nuestra ciudad, y el de España, por los mejores escenarios del mundo, incluidos los de Rusia, el Japón y las naciones hermanas de América? Desde su revelación en el programa televisivo *Nuevos Valores* Matías Antequera ha aparecido repetidas veces en la pequeña pantalla, y no hay bar de carretera en el que no se exhiban en lugar precedente sus cintas magnetofónicas. Él, Lorencito, se precia de conocerlo bien, lo mismo a nivel artístico que en su faceta humana, y como suele decir, habría puesto toda la garra en el asador para declarar su inocencia. No hará ni un año, cuando Matías Antequera regresó de una gira triunfal por Guatemala, Lorencito Quesada, que realizaba entonces en radio Mágina labores de locutor (él, partidario siempre de las más modernas terminologías, dice *explíquer*) lo interviuvó en exclusiva y en rabioso directo durante más de una hora, y para toda la comarca, y en el curso de aquella conversación memorable tuvo ocasión de comprobar la hombría de bien de nuestro cantante, la llaneza de su carácter, no alterado por la fama, el amor a nuestra tierra, a nuestra Semana Santa y singularmente a la cofradía que preside, la de la Virgen de los Siete Dolores, cuyo trono ha restaurado a su costa, y en cuya procesión participa encapuchado y descalzo cada Viernes Santo con una devoción ejemplar. Ya se sabe que entre la procesión del Santo Cristo de la Greña y la de los Siete Dolores viene existiendo secularmente un cierto pique, como se dice en el mundillo cofradiero, ¿pero sería eso motivo para que el autor de los inmortales pasodobles *Soy de Mágina* y *Carnicerito torero* se arriesgase no ya a la vergüenza y a la cárcel, sino también a la condenación eterna?

—A las pruebas me remito —dijo lúgubremente don Sebastián Guadalimar, esgrimiendo como un despojo el cardado peluquín de Matías Antequera, que al rozar de nuevo la nariz de Lorencito Quesada dejó en ella un aroma picante de alcanfor y colonia de nardos—. También a mí me pareció increíble cuando llegué a la conclusión de que ese hombre es el culpable.

Como para confirmar la rotundidad de sus palabras los focos que iluminaban la capilla se apagaron, y en el reloj de la torre del Salvador sonaron las campanadas de la medianoche. En menos de una hora, pensó luego

Lorencito, no sólo se había derrumbado su confianza en la naturaleza humana, sino que además había descubierto que la melena de Matías Antequera era falsa, tan falsa como su *nom de guerre*, subrayó con desprecio don Sebastián Guadalimar, pues en realidad se llamaba Matías Morales Taravilla, y no actuaba en los mejores teatros de Madrid, por cierto, sino en tablaos de muy dudosa calaña, donde no era infrecuente el bochornoso espectáculo de los pervertidos taconeando con bata de cola, y donde los peores calaveras de la capital se entregaban sin freno a los excesos de la bebida y a las desviaciones de la lujuria...

—Sígame, por favor —dijo el prócer, limpiándose las comisuras de la boca con la punta de un pañuelo bordado, y volvió a tomar del brazo a Lorencito para guiarlo hacia la sacristía. La piel de sus manos era tan suave y casi tan fría como la seda del batín: cuando llegaron a la luz y don Sebastián lo soltó Lorencito Quesada tuvo una franca sensación de alivio. Le pareció muy raro no haberse extrañado hasta ese momento de que don Sebastián anduviera por la iglesia en zapatillas y batín. Quería preguntarle por qué lo había llamado precisamente a él, tenía arranques de lealtad hacia Matías Antequera e imaginaba frases tan elaboradas como las del conde consorte para defenderlo, pero no se atrevía. Don Sebastián abrió un bargueño con una llave diminuta y dorada y Lorencito pensó absurdamente que se disponía a celebrar misa: algo en sus modales recordaba que en su juventud se había doctorado en Teología por la Universidad de Tubinga. Sacó una botella de cristal tallado y una copa de plata no mucho mayor que un dedal y se sirvió un whisky, paladeándolo con tal delectación que la punta rosada de su lengua alcanzó a rozarle los pelos del bigote.

Sin duda por culpa de sus preocupaciones, al prócer se le olvidó invitar a beber a Lorencito, privándolo así de la ocasión de manifestar su templanza con una virtuosa negativa. Se sirvió un poco más de licor, guardó la copa y la botella en el bargueño, tan ceremoniosamente como si cerrara un sagrario, y se volvió hacia él frotándose las puntas de los dedos, con los ojos y los labios brillantes. Comenzó a hablar con la cabeza ligeramente levantada, modulando la voz al mismo tiempo que movía sus pálidas manos. En el dedo índice de la mano derecha llevaba un anillo ovalado con el escudo de los De la Cueva.

—Amigo mío, alguien tiene que ayudarme a recuperar nuestra imagen, y ese alguien no puede ser más que usted. Usted conoce al dedillo todos los secretos de nuestra ciudad y de nuestra Semana Santa. Usted goza de la confianza de ese hombre y puede aproximarse a él de un modo que a mí me está vedado por mi posición social y por la evidente inquina que me profesa. Hable con él. Convénzalo, amenácelo, dígale que está desenmascarado, pero que todavía no ha perdido la ocasión de remediar su delito sin que se levante un escándalo. Faltan dieciocho días para el Domingo de Ramos. Piense, mi joven amigo, en la responsabilidad que caerá sobre nuestros hombros si por primera vez en cuatro siglos y medio (descontando los años luctuosos del dominio rojo) el Santo Cristo de la Greña no acude a su cita con los fieles de Mágina. Calculo que en la sucia mente de ese hombre se estará tramando la posibilidad de un *chantage*.

—Pero dónde quiere usted que lo busque, pobre de mí —a Lorencito Quesada le temblaba la voz—. Si yo no sé dónde está Matías Antequera, si no lo he visto desde el año pasado...

Con un gesto terminante don Sebastián Guadalimar le tendió un sobre lacrado que extrajo del bolsillo interior de su batín. Era un sobre grande, como de papel de barba, con las armas condales impresas en relieve.

—Me he informado, por supuesto. En el interior de ese sobre, que le ruego no abra hasta que no haya emprendido el viaje...

—¿Qué viaje? —preguntó Lorencito, pero don Sebastián Guadalimar no pareció escucharlo.

—...encontrará el dinero, los billetes de tren y las instrucciones pertinentes. Le adelanto que ese al que usted llama Matías Antequera actúa todas las noches en una especie de *café-concert* de Madrid sito en la calle de Yeseros, no lejos de la basílica de San Francisco el Grande, en la que, como usted sabe, mi mujer celebró sus primeras nupcias con mi llorado predecesor en el título. El nombre del local lo dice todo, me temo: Corral de la Fandanga. He unido a la documentación un folleto con las señas exactas y un plano de la zona, que usted, desde luego, no necesitará, dado su conocimiento proverbial de Madrid.

—Pero, don Sebastián —Lorencito vislumbró, en su tribulación, un rayo de esperanza—, si Matías Antequera actúa todas las noches en ese local, ¿cómo pudo robar anoche la imagen?

—Llamé esta mañana, con la repugnancia que usted puede suponer, a ese Corral de la Fandanga —en los finos labios de don Sebastián Guadalimar se esbozó una sonrisa de triunfo—. Un audaz *coup de téléphone*. Casualmente, Matías Antequera no cantó anoche. Inflamación de la garganta...

—Tendrá que buscarse a otro, don Sebastián —ahora a Lorencito Quesada también le temblaba el labio superior y, como él mismo escribiría más tarde, gotas de sudor le perlaban la frente—. Cómo voy a irme yo a Madrid, si tengo que trabajar en El Sistema Métrico, y mi madre no está para que la deje sola.

—*No problem* —don Sebastián se maneja fluidamente en varios idiomas—. Como usted sabe, el patrimonio de esta casa incluye un paquete de acciones de El Sistema Métrico, donde, dicho sea de paso, su laboriosidad de usted aún no ha recibido la recompensa que merece... Bastará una pequeña *feuille* de mi puño y letra para justificar su ausencia.

—¿Y cómo le explico yo mañana a mi madre que me voy de viaje, si cuando tengo Adoración Nocturna no pega ojo hasta que vuelvo a casa?

—Mañana no, amigo mío —don Sebastián le puso las dos manos en los hombros—. No tenemos tiempo que perder. Piense que no soy yo quien se lo pide, sino la ciudad que le vio nacer. Usted sale para Madrid esta misma noche, en el expreso de Algeciras.

Capítulo IV

LA PENSIÓN DEL SEÑOR ROJO

Cuando a las siete menos cuarto de la mañana Lorencito Quesada se encontró en el andén de la estación de Atocha pensó durante casi un minuto de pavor que se había equivocado de ciudad. Recordaba una gran bóveda con pilares y arcos de hierro, un inmenso reloj y una lápida de mármol con la lista de los Caídos por Dios y por España. Y ahora estaba en un lugar que parecía hecho únicamente de lejanías descorazonadoras y paredes y columnas de cemento en las que retumbaban los avisos de los altavoces y los pitidos de los trenes que iban a perderse en un túnel mucho más grande y todavía más lóbrego que los túneles del Metro. Apenas había pegado ojo en toda la noche, desde que subió al expreso en la estación de Linares Baeza a las tres de la madrugada. El sobre que le entregó don Sebastián Guadalimar era de papel recio y tenía impresas en relieve las armas condales, pero el billete que había en su interior no era de *wagon-lit*, como en algún momento él llegó a imaginar, sino de segunda clase, de modo que pasó todo el viaje en el rincón más angosto de un departamento ocupado por un grupo de vehementes legionarios de paisano que a juzgar por su acento y por los cantos regionales que alternaban con los himnos patrióticos debían de ser aragoneses. Cuando hacia las seis de la mañana, y a la altura de Manzanares, los legionarios dejaron de cantar y rompieron alegremente en el pasillo los botellones de cubalibre que les venían amenizando el viaje, reinó en el departamento un silencio alterado rítmicamente por diversos tonos de ronquidos y un sosiego en el que a Lorencito Quesada le habría sido posible conciliar el sueño si no llega a ser por un persistente olor a pies sudados y a eructos de ginebra. Un caballero legionario se le había dormido con la cabeza apoyada en su hombro, y con el traqueteo monótono del tren fue deslizándose hasta acomodarse satisfactoriamente en su regazo, con la cara hacia arriba y la boca abierta, de modo que su aliento vino atufando a nuestro corresponsal hasta la misma estación de Atocha.

Al bajarse del tren la ropa le olía como si se hubiera corrido una juerga. Por culpa del sueño, y de la falta de hábito, estuvo a punto de caerse en las escaleras mecánicas que suben desde los andenes hasta el vestíbulo principal, y allí se sintió aún más perdido que antes, entre tantas columnas de cemento, indicadores electrónicos en los que se sucedían velozmente las letras y ecos de altavoces. Apretaba muy fuerte su bolsa de plástico marrón y miraba de soslayo por miedo a los posibles malhechores, buscaba la salida y en lugar de encontrarla se internó en un pasillo que conducía al Metro y del que tardó media hora angustiosa en escapar, dando vueltas y revueltas, sin encontrar un letrero donde cerciorarse de que de verdad estaba en Madrid y en la estación de Atocha.

Sólo estuvo seguro cuando alcanzó la calle y vio delante de sí el edificio del Ministerio de Agricultura, y luego los anuncios luminosos del hotel Mediodía, de la casa Philips y de los colchones Flex, todavía encendidos, con tonos azulados y verdes que le gustaban mucho y que ahora sí le permitieron acordarse de su último viaje a Madrid, hace ya más de veinte años, cuando vino a la capital con motivo del II Festival de la Canción Salesiana, en el que el conjunto que representaba a Mágina obtuvo un accésit por su interpretación del *Pange Lingua* adaptado al castellano y cantado con la música de *El cóndor pasa*. En su calidad no sólo de corresponsal de *Singladura*, sino de miembro del ala más juvenil y con más inquietudes de nuestra Acción Católica, Lorencito se unió a la expedición de los hinchas locales y se quedó afónico de tanto animar los cánticos durante el viaje. Madrid lo entusiasmó: vieron el Scalextric, el Palacio Real, el estanque del Retiro, la Casa de Fieras, la fábrica de cervezas Mahou, visitaron el Escorial y el Valle de los Caídos y hasta aparecieron en un plano fugaz tomado por las cámaras de Televisión Española.

Y ahora estaba otra vez en Madrid, parado, como entonces, en la gran explanada de Atocha, pero no había ido como monitor oficioso de un grupo de jóvenes de ambos sexos con guitarras, bandurrias y flautas, sino completamente solo, cumpliendo una misión secreta en la que era posible que no arriesgase su vida, pero sí su palabra, el honor de su ciudad y el de un apellido varias veces centenario. Ese mismo día era preciso que encontrara a Matías Antequera y le transmitiera el ultimátum.

Miró el tamaño de los edificios y la distancia aterradora de las avenidas por las que bajaba el tráfico con un escándalo como el de las cataratas del Niágara y pensó que le sería imposible encontrar a nadie en una ciudad tan grande. Por lo pronto, ni siquiera encontraba el Scalextric. ¿También habría sucumbido a la devastadora manía de no respetar los edificios del pasado? Dobló a la izquierda, guiándose por el anuncio de los colchones Flex, y buscando el paso subterráneo que lleva al Paseo de las Delicias y al de Santa María de la Cabeza. En este último, en el número doce, estaba la célebre pensión del señor Rojo, a la que han acudido sin falta durante medio siglo la mayor parte de los viajeros de nuestra ciudad cuando iban a ver la feria del Campo y el desfile de la Victoria.

En el paso subterráneo echó a andar por la izquierda y casi todas las personas que se apresuraban en dirección contraria chocaban con él. Pensó, ya con un brote de nostalgia: «En las capitales la gente circula igual que los coches.» Ocupaban las paredes marañas de pintadas, esvásticas, hoces y martillos, palabras obscenas que él procuraba no mirar. Sin darse cuenta pisó un puñado de revistas extendidas en el suelo y un hombre sin dientes que se cubría la cabeza con un gorro de pana lo increpó: «Pasmao, que me esbaratas el expositor.» Lorencito Quesada enrojeció y quiso formular una disculpa: al bajar los ojos hacia las revistas que había pisado vio que todas tenían en la portada fotos de mujeres desnudas, y entonces volvió a enrojecer y se apartó de allí a toda prisa, chocando ahora con un joven de melena muy larga que casi medía dos metros y llevaba una camiseta negra con una calavera dibujada en el pecho. Se sintió perdido entre una multitud de descuideros y de carteristas, de desalmados que lo engañaban a uno con el tocomocho y el timo de la estampita.

Era urgente salir del paso subterráneo y llegar a la pensión. En la escalera de salida había un hombre que dormía encogido y arrimado a la pared, con un cartón de Viña-Lesa blanco entre las rodillas. Lorencito se acordó de que ésa era la marca de vino que usaba su madre para cocinar. «El alcoholismo», pensó, «es una lacra social, una droga como otra cualquiera». Al llegar a la calle agradeció el aire frío de la mañana y se dio cuenta con espanto de que había salido a la acera de los números impares y no había semáforo ni paso de peatones que le permitieran cruzar sin peligro al otro lado. Con los faros todavía encendidos los coches venían a una velocidad de fórmula uno. «Mira que si me pilla un coche y me mata y no se entera nadie.» Los coches surgían como manadas de búfalos en lo más alto de la explanada de Atocha y se arrojaban por el Paseo de Santa María de la Cabeza igual que una riada amazónica.

Cuando por fin llegó a la otra acera, tras escapar de la muerte por una fracción de segundo, a Lorencito Quesada le temblaba más que nunca el labio superior (lo tiene muy hendido y muy levantado hacia la nariz) y le picaba toda la piel bajo su camiseta de felpa. Buscaba algún sitio donde reponerse del susto y entrar en calor con un bollo suizo y una leche manchada, pero sólo veía restaurantes chinos. Pensó que la raza amarilla está empezando a dominar el mundo. Temía que la pensión del señor Rojo tampoco existiera ya: vio con alivio junto al portal del número doce las iniciales azules de Casa de Huéspedes, y llamó decididamente al portero automático. Le contestó una voz confusa que parecía extranjera. No había ascensor y llegó sin aliento al tercer piso, notando picores interminables por culpa del recio paño de la camiseta. Al hombre que le abrió la puerta, que parecía árabe, le dijo con afán de intimar que era un antiguo cliente de la casa y le preguntó por el señor Rojo: no sabía quién era, ni le sonaba el nombre, dijo, no sin desprecio, el posible árabe, en un desastroso español. A Lorencito Quesada, que ya llevaba preparado su carnet de identidad y su tarjeta de colaborador de *Singladura*, le extrañó que aquel hombre no le pidiera la documentación: en las capitales, con la prisa, con el ritmo de vida, la burocracia se abrevia.

Juzgó que su habitación era acogedora, incluso íntima, y desde luego muy tranquila, lo cual es una ventaja en una ciudad tan ruidosa como Madrid. Al descorrer las cortinas para mirar por la ventana comprobó que no había ventana, si bien disponía de un lavabo espacioso y de un teléfono. Se sentó en la cama y decidió concederse una o dos horas de sueño. Apenas había cerrado los ojos cuando el timbre del teléfono lo sobresaltó. Dijo varias veces «Aló», como parece que es costumbre en Madrid, pero no obtuvo respuesta: alguien respiraba en silencio al otro lado del hilo telefónico. Creyó oír una voz que murmuraba algo, y luego la comunicación se interrumpió, y Lorencito Quesada se quedó un rato oyendo en el auricular un pitido intermitente.

Capítulo V

EL MENSAJERO ASIÁTICO

Recios golpes sonaron en la puerta. Lorencito Quesada se levantó en la oscuridad sin saber dónde estaba y medio dormido todavía, soñando que se le hacía tarde para llegar a El Sistema Métrico. Al mismo tiempo el teléfono empezó a sonar. Buscando el interruptor de la luz se dio contra los barrotes de la cama un golpe que no llegó a despertarlo del todo. Las llamadas en la puerta y los timbrazos del teléfono sonaban con igual contumacia. Por fin dio la luz, abrió la puerta, vio a un hombre de rasgos orientales, corrió hacia el teléfono, que estaba sobre la mesa de noche, volcó un vaso de agua que se rompió a sus pies, dijo: «espere un momento» y volvió a la puerta, recogió un sobre que el oriental le tendía, le dijo gracias y cerró, corrió al teléfono, dándose otro golpe en los barrotes de la cama, ahora en la rodilla, levantó el auricular y escuchó el mismo silencio que unas horas antes, miró el sobre que tenía en las manos, colgó con disgusto el teléfono, aunque no con rabia, porque es un hombre de sentimientos extremadamente apacibles, se acordó del oriental y quiso salir en busca suya para preguntarle quién le enviaba el sobre, pero cuando abrió otra vez la puerta casi se dio de bruces contra él, porque aún estaba delante de ella, inescrutable, con esa fría impasibilidad de las razas asiáticas, con la mano derecha extendida en una posición que Lorencito Quesada atribuyó al principio a sus posibles habilidades como karateka, pero que resultó ser una impertinente solicitud de propina.

Le dio cien pesetas al cabo de un rato buscando en sus bolsillos. El oriental miró la moneda en la palma de su mano todavía abierta y luego miró a Lorencito con un gesto de desprecio absoluto. Volvió a cerrar: abrió suavemente de nuevo y el oriental había desaparecido. Desde el fondo del pasillo venía una música como de tambores africanos y una pestilencia de guisos exóticos. Veinte años antes, pensó, en la pensión del señor Rojo se escuchaban romanzas de zarzuela y olía dulcemente a cocido madrileño. Sólo al sentarse en la cama (porque en la habitación no había ninguna silla) recordó el sobre, que no tenía nada escrito.

Antes de abrirlo lo palpó: las llamadas de teléfono y la torva cara del mensajero oriental lo habían sumido en un principio de temor. En Madrid no es infrecuente el envío de cartas bomba. Miró el sobre al trasluz, pero la claridad que daba la bombilla era muy poca. Al tacto no parecía que contuviera nada peligroso. Con sus dedos hábiles y un poco más gruesos de lo que a él le gustaría, diestros por el manejo inveterado de las telas, fue cortando uno de los filos, procurando no rasgar lo que había dentro. Pero no era una carta, sino una hoja doblada de papel de envoltorio, recio y brillante, de color morado. Lo extrajo tan cuidadosamente como desprendería un artificiero la espoleta de una bomba. Crujía al tocarlo, y exhalaba un olor muy tenue como a incienso o a cera. Al desdoblarlo, Lorencito Quesada encontró un trozo rectangular de tela gruesa, también doblado en dos, con una pericia en la que sus ojos avezados reconocieron la mano de un auténtico profesional del comercio de tejidos. Abrió el sobre en hueco y miró y palpó meticulosamente su interior sin encontrar nada. Estaba claro que era víctima de una broma pesada. Por mucho mundo que uno tenga, en Madrid le toman el pelo sin misericordia a poco que se descuide. Alisó de nuevo el sobre, lamentando haber dejado en él sus huellas dactilares, pero carecía de unas pinzas y no había tenido la precaución de traerse sus guantes de lana. Sacudió el trozo de tela tocándolo sólo con las uñas, y cuando iba a envolverlo en el papel para guardarlo otra vez en el sobre (consideró que era vital no destruir ninguna prueba, ni las que parecieran menos importantes, pues con frecuencia son éstas las que sirven para averiguar la clave de un enigma), oyó un ruido levísimo como de algo que caía y vio una cosa pequeña y ovalada en el suelo. La recogió con la misma cautela que habría empleado para atrapar a un insecto: era una uña larga, curvada, perfecta, una uña dura y puntiaguda, tan fuerte como la de un ave rapaz. Casi la soltó al comprender a quién pertenecía. ¡Era una de las uñas del misionero mártir de Mágina, la de uno de sus pulgares, para ser exactos, una reliquia arrancada de la mano del Santo Cristo de la Greña!

A modo de relicario provisional usó, no sin reverencia, el bote de sus lentillas. ¿Era posible que Matías Antequera hubiese llegado tan lejos en su abyección como para repetir con la venerada imagen la cruel amputación infligida hace cuatro siglos (o infringida, o inflingida: con esas dos palabras Lorencito Quesada padece siempre dudas lacerantes) al antepasado mártir de los actuales condes de la Cueva? Pero en el fondo de su conciencia él no terminaba de aceptar la culpabilidad de Antequera: él lo había visto postrado de rodillas ante el trono de los Siete Dolores. El día en que se le impuso a la Virgen el nuevo manto sufragado únicamente a su costa, él había estado en el camerino de Matías Antequera, la noche de su última actuación en la feria de Mágina, y había observado el número de estampas piadosas que rodeaban el espejo frente al que se maquillaba, y podía jurar que entre ellas, y en posición preferente, estaba la del Santo Cristo de la Greña, por el que Antequera, como todo el mundo en la ciudad, sin distinción de ideologías ni de clases, siente una fervorosa devoción.

«Si es culpable lo desenmascararé», pensó, como si hablara en voz alta, «pero si es inocente no descansaré hasta demostrarlo». Dobló el trozo de tela y el papel y los guardó en el sobre de modo que éste quedase igual que lo había recibido. Por miedo a que alguien se lo arrebatara, lo puso en el bolsillo derecho de su cazadora de ante y se aseguró de que la cremallera quedaba bien cerrada. Con un sobresalto se dio cuenta de que no sabía la hora que era, ni si era de día o de noche. Miró su reloj digital, regalo de un viajante de libros al que le había comprado la *Gran Enciclopedia de las Ciencias Ocultas*, de la que suele extraer la documentación exhaustiva que enriquece sus artículos sobre ufología en *Singladura*: eran las trece veintisiete, de modo que había estado durmiendo cinco horas, sin confort, desde luego, sin el cálido pijama tobillero que lo abriga en los inviernos de Mágina, tendido sobre la colcha, con toda la ropa puesta, como un bohemio, en una cama extraña.

No sólo tenía sueño atrasado: también tenía hambre. Pensó con repugnancia en los olores a frituras paganas que infectaban el aire en el pasillo de la pensión. Afortunadamente, había traído en su bolsa una fiambrera de plástico, con cierre hermético, tipo *tupperware*, en la que a pesar de las prisas y el aturdimiento de la partida había tenido tiempo de guardar su cena de la noche anterior, que era carne con tomate. Desconfiando de la calidad del pan que suele venderse en las grandes ciudades, donde la gente, obsesionada con guardar la línea, apenas come otra cosa que pan Bimbo, Lorencito Quesada había agregado a su equipaje una sólida mollaza de corteza rubia y miga suculenta, envuelta en un cernadero a cuadros azules, para que no cogiera pelusa de la ropa. Dispuso el cernadero sobre la mesa de noche, abrió la fiambrera y la boca se le hizo agua al ver el rojo intenso del tomate frito y las protuberancias de las tajadas de lomo, aunque le daba un poco de asco el notorio olor a calcetines que reinaba en la habitación. Pensó que un hombre desnutrido mal puede enfrentarse a los peligros de una ciudad como Madrid.

Estaba deglutiendo con dificultad la primera sopa untada en tomate cuando el teléfono volvió a sonar. Que no lo dejen comer a gusto o que le priven de nueve horas de sueño son las dos únicas razones que pueden alterar el carácter sosegado de Lorencito Quesada. «Pues el que sea se va a fastidiar», dijo, indignado, con la boca llena. Terminó de tragar y el teléfono seguía sonando. Al cogerlo tenía los dedos manchados de tomate y aceite y el auricular se le escurría. Observó con dolor que le había caído una mancha en la solapa de la cazadora.

—Al aparato —dijo desganadamente, imaginando que otra vez sólo escucharía el silencio.

—¿Quesada? —dijo una voz ansiosa, que inmediatamente le pareció conocida—. ¿Lorencito Quesada?

—El mismo —respondió: al bajar los ojos vio que acababa de limpiarse los dedos en el pantalón.

—Lorencito, niño, ¿no te acuerdas de mí? —era la voz de Matías Antequera, con su característico seseo, fruto de sus largas giras por Hispanoamérica. A Lorencito Quesada, más que extrañarle la llamada, lo consoló escuchar tan lejos de Mágina la voz de un paisano.

—Matías —dijo, tan nervioso que volvió a imprimir en el pantalón la mancha de sus dedos—, dígame dónde está. Necesito verlo urgentemente.

—No creas nada —suplicó la voz—, no permitas que manchen mi nombre…

En ese momento se escuchó algo que pareció un estampido, luego una confusión de pasos y de voces y por fin un grito muy agudo. Lorencito Quesada llamó a Matías Antequera y oprimió varias veces la horquilla del teléfono, como había visto que hacen en las películas. Pero la comunicación se había interrumpido.

CAPÍTULO VI

LOS FLAMENCOS ALEVOSOS

Ni a tapar la fiambrera de carne con tomate se detuvo Lorencito Quesada. Comprendía, y así pensó escribirlo más tarde, que hay momentos en la vida en que un hombre debe jugárselo todo a una sola carta. Le pareció que aún seguía escuchando la súplica desesperada de Matías Antequera. Salió disparado de la habitación eludiendo por unos milímetros los barrotes de la cama, habiéndose olvidado incluso de poner polvos de talco en los lamparones de su pantalón y de su cazadora. Al fondo del pasillo se veía una claridad que atribuyó a la puerta de salida: se encontró en lo que había sido el comedor de la pensión en los tiempos dorados del señor Rojo. En lugar de los nobles tapices con escenas pastoriles que recordaba y de los sillones forrados de terciopelo había una caótica especie de bazar en el que se mezclaban los elefantes de madera, las máscaras y los tambores de la artesanía africana con los últimos adelantos en radiocassettes, linternas intermitentes, alfombras musulmanas y cajas de herramientas. Dos negros vestidos con túnicas blancas guisaban algo sobre un infiernillo situado en un rincón del comedor. Un humo grasiento enrarecía el aire, en el que retumbaba un escándalo de tambores tribales, y las paredes, de las que colgaban desgarrones de papel pintado, estaban ennegrecidas de hollín. Uno de los africanos le ofreció a bajo precio, «barato, barato», una caja de destornilladores con los mangos fluorescentes. «No comprar, paisa», dijo Lorencito, al objeto de ser comprendido por el aborigen, aunque cada vez que rechazaba las menesterosas mercancías de un negro o de un marroquí se le partía el corazón.

Encontró al fin la puerta de salida, se lanzó escaleras abajo, estuvo a punto de caerse encima de un joven que parecía dormitar en el primer rellano, y que debía de ser un practicante, ya que sostenía entre los dedos una aguja hipodérmica, y al llegar a la calle levantó la mano con un gesto enérgico, porque había visto venir un taxi libre. Tomar taxis a toda velocidad le había parecido siempre un hábito admirable de los reporteros más audaces.

—Rápido —dijo, al desplomarse en el asiento trasero—. Al Corral de la Fandanga. Calle de Yeseros.

Había pensado añadir, con autoridad y misterio: «Dése prisa, por favor. Está en peligro la vida de un hombre», pero se sentía enjaulado tras la mampara de cristal antibalas, consecuencia, sin duda, de la tremenda inseguridad ciudadana que se vive en Madrid. ¿Cómo no iba a estar llena de peligros una ciudad poblada de moros, negros y chinos? Al menos el taxista pertenecía a la minoritaria raza blanca. Como suele predicar en Mágina el párroco de la Trinidad, que está enfrente de El Sistema Métrico, el hombre blanco se extingue por culpa de la píldora, de la sodomía y del aborto. Lorencito Quesada, cuando subió en el taxi, había imaginado una vertiginosa carrera con semáforos en rojo pasados a cien kilómetros por hora y chirridos de neumáticos en las curvas. ¡En ese mismo momento Matías Antequera podía encontrarse en peligro de muerte! Pero el taxi se había empantanado en un atasco de tráfico y el conductor, mascando uno de esos cigarrillos falsos con que se alivian los ex fumadores, murmuraba en voz baja venenosos juramentos contra las autoridades o prorrumpía en carcajadas al oír los chistes que alguien contaba en la radio con acento gallego.

En el taxímetro digital crecía una cifra alarmante. ¿Estaría trucado, a fin de jugar con la inexperiencia y la buena fe de los usuarios de provincias? Hacía un calor excesivo para el mes de marzo, y a Lorencito Quesada lo agobiaban la ropa interior de felpa, la camisa de franela y la cazadora. En las aceras y en los pasos de cebra se veían mujeres con las piernas desnudas y las faldas muy cortas, con zapatillas blancas, como de verano, con blusas y vaqueros ceñidos que resaltaban lo que un poeta de Mágina ha llamado *sus formas turbadoras*. Cuando el taxi frenó a la altura de un quiosco, en la glorieta de Embajadores, Lorencito Quesada aguzó la vista automáticamente para distinguir las portadas de las revistas eróticas, que eran casi todas, y pensó, con reprobación hacia sí mismo, que se distraía de su tarea y ponía en peligro la salud de su alma por culpa de aquella feraz proliferación de anatomías femeninas. ¿Iba a volver a las andadas, a aquella época bochornosa y secreta de su vida en que empezaron a proyectarse en Mágina películas clasificadas S, cuando en las noches de invierno, al salir de El Sistema Métrico, se deslizaba como un reptil hasta las últimas butacas del

Ideal Cinema para ver por sexta o séptima vez *Emanuelle Negra II* o *Soy ninfómana, mi cuerpo es mi tormento*?

El taxi frenó de pronto en una calle estrecha y en cuesta y Lorencito Quesada se dio un golpe en la frente contra el cristal de la mampara. Más despiadado que un salteador de caminos, el taxista se rió de él mordiendo la boquilla de plástico con sus dientes de hiena y le cobró mil doscientas pesetas, no sin injuriarlo previamente por haberle pagado con un billete de cinco mil. Le consoló algo, sin embargo, encontrarse en una calle adoquinada, silenciosa, con un letrero de cerámica en la esquina. Siempre sensible, incluso en la adversidad, se dijo que la calle poseía todo el encanto del viejo Madrid. Una señorita a la que calificó de escultural se cruzó con él taconeando por la acera, y Lorencito no supo contener la tentación de volverse: la señorita también se había vuelto y lo miraba. Lorencito se puso colorado y fingió un interés turístico por los balcones de la vecindad, pero tuvo tiempo de verla desaparecer en un portal: así fue cómo descubrió, sobresaltándose, el anuncio del Corral de la Fandanga.

Era de hierro forjado y tenía forma como de pergamino artístico, y sobre las letras destacaba una pequeña escultura representando a una bailaora. A lo largo de la fachada colgaban faroles con cristales blancos en los que había dibujadas pintorescas escenas de flamenco y de toros. La puerta parecía más bien el arco de entrada a una bodega. Junto a ella había un cartel impreso en varios idiomas, incluidos el ruso y el japonés, donde se anunciaban las atracciones de la casa. Encima del nombre que estaba escrito con caracteres más grandes alguien había pegado una franja de papel adhesivo: fácilmente se traslucía que ese nombre era el de Matías Antequera.

Tragando saliva, ajustándose el elástico de la cazadora juvenil al perímetro más bien opulento de su cintura, Lorencito Quesada golpeó la puerta con un pesado aldabón. Se preguntó si en caso de necesidad sería capaz de derribarla. Volvió a llamar y al oír una voz y unos pasos notó una molesta presión en la vejiga y se dio cuenta de que el labio superior le temblaba. La puerta se abrió unos centímetros con gran ruido de goznes y cerrojos y en el hueco apareció una cara amarillenta, con arrugas y chirlos, con un copete de pelo negro y aceitoso entre los ojos guiñados.

—Abrimos a las diez de la noche —dijo aquel individuo, con un habla cazallera y cerrada de la bahía de Cádiz—. Domingos y festivos último pase madrugada a las dos. Bonificación especial para grupos de más de diez personas previa reserva telefónica. Plazas limitadas.

El hombre terminó de recitar con un aire de abatimiento absoluto y cuando iba a cerrar la puerta Lorencito Quesada se lo impidió con terminante energía.

—Busco a Matías Antequera —había sacado su tarjeta de visita y se la puso al otro delante de la cara. Estaba claro que era tuerto, pero no se sabía de cuál de los dos ojos—. Soy amigo y paisano suyo. Periodista.

—¡Bocarrape! —una voz gritó dentro—. ¿Quién es?

—Naide, Bimboyo —dijo el tuerto, torciendo el cuello para volverse, como si estuviera a punto de escupir—. Uno que busca razón de no sé quién.

Otra vez iba a cerrar: Lorencito Quesada introdujo el pie derecho entre el escalón y la puerta, obteniendo un crujido de huesos y un dolor alarmante.

—Matías Antequera —repitió, entre dientes, conteniendo la respiración mientras oía al tuerto reírse de su desgracia—. No me negará usted que actúa aquí todas las noches.

—Actuaba —dijo con una entonación siniestra la voz que había sonado antes. Pero ahora Lorencito Quesada pudo ver de quién era: un hombre enorme, con la cara hinchada y roja, con una papada tan rotunda como la panza que ceñía una faja negra con borlas laterales. El llamado Bocarrape apenas le llegaba a la pechera abierta de la camisa, de la que brotaba una pelambre ensortijada y selvática, cruzada por una cadena de oro. Con los brazos en jarras el grandullón se encaró a Lorencito Quesada, que ya descartaba a duras penas la vergonzosa tentación de sugerir un malentendido, o de retirarse pidiendo disculpas…

—Matías Antequera no está —dijo el Bimbollo: tenía un acento aún más exagerado que el otro, y miraba de arriba abajo a Lorencito, como miraría a un insecto—. Ha salido de gira con la compañía de Lucero Tena.

—¿Y se ha ido muy lejos? —Lorencito Quesada se oyó una voz ignominiosa.

—Ahí mismito —Bocarrape guiñó el que en ese momento parecía su ojo sano—. Al Japón.

Capítulo VII

EL JAPONÉS INQUISITIVO

Al cerrarse definitivamente, la puerta del Corral de la Fandanga retumbó como un eco de aquellas últimas palabras que había pronunciado el flamenco Bocarrape: ¡Al Japón! Lorencito Quesada no sólo se sentía idiota y engañado: también se sentía desleal. Matías Antequera se encontraba en peligro, acudía desesperadamente a él y él aceptaba con balbuceos cobardes los notorios embustes de dos flamencos desalmados. Se quedó un rato mirando la puerta del tablao, que ya reputaba de timba clandestina y tapadera de negocios ilícitos, tal vez de tráfico de opio o de trata de blancas. En un balcón del primer piso vio descorrerse una cortina. Una mujer con el pelo rubio y muy largo lo espiaba: era la misma con la que se cruzó unos minutos antes en la calle. Le pareció que le hacía señas agitando una mano, pero en seguida dejó de verla, porque la cortina se cerró.

Echó a andar, cojeando, la cabeza caída sobre el pecho y las manos a la espalda, sin saber dónde estaba ni a dónde lo llevaban sus pasos. Un turista japonés filmaba con una cámara de vídeo la persiana metálica de un restaurante clausurado que se llamaba la Fonda de la Torería. Movía acompasadamente la cabeza y la cámara, como si ésta formara parte de su organismo. Se inclinaba mucho para filmar con detalle la mugre que cubría la persiana metálica, se echaba hacia atrás, se acercaba de nuevo casi tocando la pared con el objetivo, cuyo regulador automático producía un zumbido persistente, como de chicharra. Cuando Lorencito Quesada pasó junto a él, la cabeza y la cámara del turista giraron para filmarlo, y un indicador rojo se encendió junto a la lente. Tuvo la impresión de que la cámara no tapaba el rostro oriental, sino que surgía directamente del cuello, como una cabeza ortopédica de plástico negro y con un solo ojo de cristal.

La calle Yeseros terminaba frente a una ladera por la que descendían las terrazas y los árboles de un parque público con escalinatas. No se veía a nadie y casi no se escuchaba el ruido del tráfico. Lejos, sobre las grandes copas de los árboles, se distinguía un paisaje ondulado y boscoso, la línea azul de una sierra. A su espalda, sin volverse aún, Lorencito Quesada oyó un zumbido familiar y estuvo seguro de que lo vigilaba alguien. Dio unos pasos y el zumbido se desplazó tras él, perfectamente audible entre los trinos de los pájaros y el rumor del viento en las hojas de los árboles. Miró hacia atrás, primero de soslayo, y luego abiertamente, con una expresión que imaginó retadora. A menos de dos metros, el japonés lo seguía filmando con su cámara de vídeo. Llevaba pantalón corto, gorra de béisbol y una camiseta en la que ponía: *Soberano. Osborne.*

Lorencito se movió hacia un lado: la cámara lo siguió, y el japonés dio un saltito, como para cortarle el paso. Con la mano libre le hacía señas, igual que un fotógrafo, y le decía algo en un lenguaje de cortos gorjeos. Ahora Lorencito tenía el objetivo tan cerca de la cara que podía vérsela en él como en un espejo diminuto y convexo. Pensó que la afición del pueblo japonés por el vídeo alcanzaba extremos irritantes. Sintiéndose acosado y ridículo dio un salto hacia la izquierda: más rápido, el japonés lo atajó, hipnotizándolo con el zumbido y con el brillo del pilotito rojo. A Lorencito Quesada volvía a temblarle el labio superior, y le picaban las axilas. Entonces el japonés se apartó la cámara de vídeo de la cara y se lo quedó mirando, los ojos como dos rayas convergentes tras los cristales de las gafas. ¿No era el mismo oriental que le había entregado unas horas antes el sobre con la uña del Santo Cristo de la Greña? Imposible saberlo, dado el parecido casi exacto entre los miembros de la raza amarilla.

Pero la sonrisa del japonés se desvaneció mientras levantaba otra vez muy despacio la cámara y volvía a apuntarla como un revólver hacia Lorencito, lanzando una especie de chillido que a nuestro corresponsal le heló la sangre en las venas. Retrocedió unos pasos, y la cámara y el zumbido lo seguían, dio un traspiés, se apoyó en el tronco de un árbol, empezó a caminar colina abajo, por la escalinata, y el japonés descendía a un paso idéntico, echó a correr oyendo que el otro lo llamaba con una voz muy aguda, corrió luego entre matorrales, perdió pie y rodó por una pendiente de tierra húmeda que olía a hierba y a bosque, escuchando ahora, cada vez más cerca, motores y claxons, dejó súbitamente de caer y de recibir golpes, se quedó a gatas, entre unos arbustos, palpándose la ropa, limpiándose de tierra los ojos y la cara.

Aún no se levantó: primero quiso asegurarse de que la cámara y el japonés ya no lo seguían. Cautelosamente miró a su alrededor, alzando apenas los ojos sobre los arbustos, con el sentimiento de haberse sumergido en una selva tropical. Su cazadora, sus zapatos nuevos, su pantalón de los domingos, el que se ponía para ir a misa, el único que había considerado digno de llevar a Madrid, se hallaban en un estado lamentable. Pero no estaba en una selva, descubrió en seguida: la pendiente por la que había rodado terminaba unos pocos pasos más abajo, en una carretera donde bramaba el tráfico más velozmente aún que en la calle de Santa María de la Cabeza. Decidió que Madrid era una ciudad incomprensible. Sobre él vio ahora unos inmensos arcos de cemento, más abrumadores que los de una catedral. Agotado, perdido, subió por una escalinata que no terminaba nunca, recelando siempre de que el japonés volviera a sorprenderlo. Subía junto a los pilares y los arcos de cemento, bajo tremendas bóvedas que le recordaban las arquitecturas de aquella película en la que Sansón derribaba el templo de los filisteos. Emergió a una calle muy despejada y muy ancha que parecía un puente extendido sobre el vacío: comprendió entonces que se encontraba en el célebre Viaducto. Vio frente a él la Casa de Campo y la sierra de Guadarrama, que le gustó mucho menos que la de Mágina, y al otro lado, a su derecha, los edificios escalonados de la calle Segovia, los tejados del caserío antiguo de Madrid, las cúpulas de pizarra y las veletas de las iglesias.

Le daba miedo asomarse a la barandilla y ver pasar los coches y la gente a una distancia de acantilado o de abismo. Había leído que aquel era el lugar que preferían los suicidas de Madrid. Una pareja bien vestida y de edad madura que pasaba se lo quedó mirando, y el hombre se inclinó para decirle algo en voz baja a la mujer, que volvió la cabeza y lo examinó de arriba abajo con aire de disgusto. ¿Tan mal aspecto tenía que lo tomaban por un pordiosero sospechoso, por un posible suicida? Buscó el peine, se humedeció el pelo con saliva y se peinó a tientas, como pudo. Padecía el mismo desconsuelo que si llevara años en Madrid. El día anterior, a esa misma hora, a las tres cero siete, él estaba confortablemente en su casa, sentado junto a su madre en la mesa camilla, viendo el Telediario mientras degustaba uno de sus potajes preferidos, habichuelas con chorizo y arroz. Después de comer, mientras llegaba la hora de regresar a El Sistema Métrico, solía adormecerse dulcemente en el sofá durante cuarenta minutos, arrullado por el calor del brasero y de la digestión, oyendo las voces cansinas de la telenovela que veía su madre. Su madre no se enteraba nunca de los argumentos, en parte porque era algo sorda, y en parte también por la extrema dificultad de aquéllos, de modo que lo sacudía con frecuencia para preguntarle quién era hijo o padre o amante de quién. Lorencito entreabría los ojos, miraba el televisor, decía, por ejemplo, «de Juan Gustavo», y en menos de un segundo volvía a dormirse, pero eso sí, despertaba como un reloj a las cuatro y veinte, y a las cinco menos diez ya estaba peinado e impoluto en la acera de la calle Trinidad, frente a la iglesia, esperando que abrieran El Sistema Métrico, a donde no había llegado tarde ni una sola vez en treinta y un años.

Casi borradas por el ruido del tráfico las campanadas de las tres sonaron en una torre próxima, y Lorencito

Quesada, deshecho de cansancio y nostalgia, se acordó del reloj de la plaza del General Orduña. Qué pintaba él en Madrid, cómo iba a dar con el paradero de Matías Antequera o de la imagen del Cristo de la Greña si no conocía a nadie, si cualquiera podía engañarlo, si no se atrevía ni a cruzar un semáforo en verde por miedo a que se pusiera rojo cuando él estuviera indefenso en mitad de la calzada. Apoyado aún en la barandilla del Viaducto, consideró que podría describir su estado de ánimo diciendo que lo asaltaban sombríos presagios. Y entonces ya no tuvo tiempo de pensar nada más: una mano le tapó los ojos, otra le torció férreamente el brazo derecho contra la espalda, una rodilla se le hincó en la columna vertebral, la ruidosa respiración de una boca abierta le humedeció el cogote mientras él trataba en vano de soltarse y sólo lograba que le crujieran las articulaciones del brazo apresado. Sus pies se levantaban del suelo, su cuerpo se inclinaba en el vacío sobre la barandilla, la mano que le tapaba los ojos estaba sudada y se escurrió y cuando pudo abrirlos los volvió a cerrar apretando los párpados para no ver el precipicio que parecía subir hacia él y atraparlo en el vértigo de una caída vertical.

Capítulo VIII

UN ENCUENTRO INESPERADO

De pronto la fuerza que empujaba hacia el vacío a Lorencito Quesada cesó y sus pies volvieron a tocar el suelo. Ahora recibió una palmada tan violenta en la espalda que el corazón agitado pareció que se le saldría por la boca, y al volverse para ver a su enemigo encontró una cara ancha, enrojecida y jovial que reía a carcajadas, una voz con el acento inconfundible de Mágina, la cara y la voz de un paisano y un amigo, nada menos que Pepín Godino, el secretario del Hogar de Mágina en Madrid, joven emprendedor y bromista incorregible, de una simpatía arrolladora.

—¡Insigne Quesada! —dijo Pepín Godino, abriendo mucho los brazos, pero en vez de abrazarlo lo que hizo fue repetir una de sus típicas bromas, propinándole un *uppercut* en el hígado con los dedos índice y corazón de la mano derecha, e inmediatamente después, cuando Lorencito Quesada ya empezaba a doblarse como un boxeador derrotado, lo estrechó cariñosamente y le redobló en la espalda con las palmas de las manos abiertas, y luego lo echó hacia atrás, y lo sostuvo por los hombros mientras Lorencito se tambaleaba, aturdido por tanta simpatía—. ¡Glorioso Lorencito, inconmensurable estrella de nuestro periodismo! ¡Pillín redomado! ¿Vienes de incógnito a Madrid a la caza y captura de alguna exclusiva? ¿O has venido para echar una canita al aire? ¡Pero no te pongas colorado, Quesada, que, como yo digo, nada humano me es ajeno!

Pepín Godino era pelirrojo, relleno, de una gran elegancia, adquirida sin duda al cabo de muchos años de vivir en Madrid, donde se dedicaba a la representación —también llamada *management*— de artistas, especialmente del ramo de las variedades arrevistadas y el espectáculo cómico taurino. En la solapa de su chaqueta llevaba siempre un escudo de nuestra ciudad adornado con diminutos brillantes, y en el alfiler dorado de su corbata destacaba una perla tan grande que debía de ser valiosísima. Solía envolverlo un delicado aroma a colonia Varón Dandy y a tabaco rubio mentolado, y en el dedo meñique de su mano derecha resaltaban por igual una sortija de plata con la imagen de nuestra Patrona y una uña limpísima de unos cuatro centímetros.

—Así que te escabulles, sagaz Quesada, y no quieres decirme a qué has venido a la metrópoli...

—Para un reportaje —balbuceó Lorencito—. Un reportaje sobre Jesús de Medinaceli...

—¡Ah perillán, repórter Tribulete! —Pepín Godino le dio otro golpe cariñoso en la espalda y luego lo sostuvo del brazo para que no se cayera—. El viejo truco del reportaje en Madrid... ¡Viaje en litera, dietas, hoteles de una y dos estrellas, gastos a justificar! ¿Y estamos aquí parados, en medio del Viaducto, en seco, como yo digo? ¿A qué esperamos para refrescarnos la garganta? ¡A estas horas el tema cañas es fundamental!

—¿Qué te parece si la tomamos aquí? —Lorencito Quesada señaló una taberna de aspecto antiguo, llamada El Anciano Rey de los Vinos, imaginando que sería económica. Pero Godino se negó a entrar allí y siguió arrastrándolo del brazo.

—¡Nada de antiguallas, Quesada! Eso es un sitio para pobres. Te voy a llevar al Gran Café de Oriente, que está aquí al lado, en el marco incomparable del Palacio Real. Como yo digo, un día es un día. Pero cuéntame algo, que te veo muy callado. ¿Cómo sigue nuestra Mágina inmarcesible, nuestra Salamanca chica, nuestra perla del Renacimiento? Ardo de impaciencia porque llegue la Semana Santa y ese amanecer en que veremos salir al Santo Cristo de la Greña... Aquí en Madrid se vive muy bien, y todo lo que quieras, pero en cuanto se acerca el Domingo de Ramos ya me parece que oigo las bandas de tambores y trompetas y que huelo a incienso y a cera, y te lo juro, Quesada, se me pone un nudo en la garganta, y ya ni Madrid ni nada.

—Es que como el pueblo de uno... —dijo Lorencito.

—¡Ése es el tema, Quesada, celebérrimo! —Pepín Godino se detuvo cuando llegaron frente a la primera esquina del Palacio Real. Con un ademán grandioso señaló el edificio, los jardines, los arbolados lejanos sobre los que surgían los rascacielos blancos de la plaza de España—. Pero tampoco me negarás que, como yo digo, Madrid es mucho Madrid. ¡Mira qué rascacielos, qué circulación automovilística, qué Palacio Real! De aquí a la torre de Madrid cabe Mágina entera... ¿Y qué me dices del mujerío, y del tema cultural, que al fin y al cabo es a lo que tú y yo nos dedicamos?

—¿Pero es que ya has dejado lo de las compañías de revista y el Bombero Torero?

—¡Dinamismo, Quesada, evolución! —Pepín Godino sacó una cartera opulenta y extrajo de ella una tarjeta de visita: *J. J. Godino. Asesor Técnico Cultural. Infraestructura de espectáculos. Gran Vía, 64*—. ¡Hoy en día el tema palpitante es la cultura, y Madrid es, como yo digo, la capital cultural de Europa! ¡Por no hablarte de Expo '92 y de las Olimpíadas de Barcelona…! ¡Los tiempos entrañables del teatro chino Manolita Chen y las revistas de Colsada se acabaron, Lorencito! ¡Ahora me dedico a la vídeo-danza, a las performances, al tema de la expresión corporal, que es el último grito en los municipios periféricos! ¿Sabes qué pelotazo estoy preparando para el Hogar de Mágina en Madrid? ¡Una exposición de esculturas abstractas hechas de cerámica y de esparto! A condición, claro, de que nuestro ayuntamiento se retrate en el tema subvención…

Por una avenida con estatuas de los reyes godos llegaron al Café de Oriente. Con su característica caballerosidad, Pepín Godino sostuvo la puerta de cristales mientras pasaba Lorencito. El Café de Oriente lo impresionó: columnas con capiteles dorados, espejos, veladores de mármol, paredes forradas de terciopelo, camareros a la antigua, con pajarita y mandil blanco hasta los pies. Algo amedrentado, Lorencito se dejó guiar hasta un cómodo diván del fondo por Pepín Godino, observando que saludaba a los camareros por sus nombres, si bien ellos, muy atareados, no tenían tiempo de responderle.

—¡Y ahora pasamos al importante tema alimenticio! —dijo Godino, arrellanado en el diván y manejando la carta, después de apurar velozmente una jarra de cerveza—. ¿Qué te apetece, excelentísimo plumilla? ¡Pero alto, que ya te veo venir! ¡En Madrid hay que olvidarse de esos ricos potajes que son, como yo digo, la salsa de nuestro acervo culinario! Se impone el tema sandwich, el tema canapé! Comida rápida y nutritiva para soportar el *stress*. Aquí dan un caviar y un salmón de primera, por no hablarte de los vinos…

Un camarero se acercó y tras una profunda reverencia estuvo tomando nota de todas las cosas que pedía Pepín Godino. Lorencito Quesada envidió un poco melancólicamente sus conocimientos gastronómicos, sus cavilaciones a la hora de elegir un cierto tipo de caviar o una marca de vino. Era, pensó, el clásico *don vivant*. Sin parar de comer, sin duda por el frenesí que impone a todo el mundo la vida madrileña, Pepín Godino lo puso al tanto de sus múltiples tareas como asesor técnico-cultural, así como de sus proyectos de cara a la promoción de la Semana Santa de Mágina en el mundo, de cara al 92: se encontraban muy avanzadas las negociaciones con la Renfe para transportar a Madrid todos los tronos procesionales de nuestra ciudad, en una de esas plataformas que habitualmente se usan para el transporte de coches… ¡Las procesiones de Mágina desfilarían por la Castellana, y el director general de Televisión, íntimo amigo, al parecer, de Pepín Godino, había prometido su transmisión en directo!

—¿Y qué me dices del tema periodismo? —dijo Pepín Godino, casi al final del banquete, que a Lorencito Quesada, porque extrañaba todos aquellos alimentos, no había hecho sino agudizarle el desconsuelo del estómago—. ¿Piensas pasarte toda la vida de corresponsal de

Singladura? Ya que estás aquí, yo puedo presentarte a personas muy influyentes... ¡Tico Medina, Yale, Emilio Romero, Alfonso Sánchez...!

«Pues yo creía que Alfonso Sánchez había muerto», estuvo a punto de insinuar Lorencito, pero su habitual timidez se lo impedía. Pepín Godino engulló una gran cucharada de caviar y luego se limpió los dientes con la uña del meñique, haciéndose pantalla, por delicadeza, con la otra mano.

—La otra noche, sin ir más lejos, tomé con él una copa en Chicote... ¿Y conoces tú a uno que está pegando ahora mucho en televisión, Arturo Pérez Reverte? Pues nos vemos día sí día no, cuando no anda en las guerras ésas del Congo. ¡Contactos, Quesada, agenda, *public relations*! ¿Cuándo os vais a enterar en provincias? Oye, por cierto —Pepín Godino encendió un rubio mentolado y reclamó al camarero con sonoras palmadas—, ¿cómo te va en la entrañable pensión del señor Rojo?

Lorencito Quesada no tuvo tiempo de contestar. Vino el camarero con la cuenta, Godino la examinó, volvió a dejarla en el plato, emitió un saludable eructo tapándose la boca con la servilleta, y en décimas de segundo se despidió de Lorencito, le regaló una tarjeta, consultó su reloj, dijo que tenía una cita importante en el Ministerio y salió corriendo hacia la calle, tan agitado, que Lorencito, aun admirándolo por su dinamismo, sintió algo de lástima por él. Era cierto, pensó, sólo en Madrid se triunfa, ¿pero vale la pena el precio que se paga? Sólo cuando ya era demasiado tarde advirtió dos cosas: que Pepín Godino, urgido por la prisa, no se había acordado de abonar la cuenta; que él en ningún momento le había dicho que paraba en la pensión del señor Rojo.

Capítulo IX

ASECHANZAS CARNALES

«En el coche de San Fernando», pensaba Lorencito compadeciéndose a sí mismo, con el ánimo caído y los pies deshechos de tanto caminar, «unos ratos a pie y otros andando». Había llegado a la Puerta del Sol, y no tenía la menor idea de cuánto le faltaba todavía para encontrar el amparo de su pensión, donde al menos contaba con la esperanza de un descanso reparador y de la hogaza y la fiambrera de carne con tomate, que ahora se presentaban a su hambrienta imaginación como un festín inalcanzable. ¿Era posible sobrevivir mucho tiempo en una ciudad donde la gente sólo se alimentaba de comidas chinas, insalubres guisos africanos y tapas insustanciales y carísimas? Sin ir más lejos, la cuenta en el Café de Oriente había ascendido a la suma aterradora de nueve mil seiscientas pesetas, lo cual, añadido al precio del taxi y al de la pensión, fatalmente lo abocaba a la quiebra, dado lo escaso de los fondos con que lo había provisto don Sebastián Guadalimar. Había pensado volver en Metro, pero nada más que imaginarse perdido en los túneles y arriesgándose a introducir el pie entre el vagón y el andén le daba sudores fríos. ¿Y si lo atracaban en alguno de aquellos corredores, y si se equivocaba de línea y aparecía en una de esas barriadas periféricas en las que los delincuentes y los drogadictos tienen su medio natural y campan a sus anchas?

Temió que se le estuviera hinchando el pie dolorido por el portazo en el Corral de la Fandanga. Ni siquiera lo animaba encontrarse en la Puerta del Sol, frente al reloj de Gobernación, que tradicionalmente marca con sus campanadas la ceremonia de las doce uvas cada Nochevieja. Fue a sentarse en el brocal de una de las fuentes que adornan la plaza, pero observó que estaba erizado de pinchos, sin duda con la finalidad encomiable de que los muchos maleantes de diversas razas y temibles cataduras que merodeaban por allí no encontrasen acomodo para sus tareas ilícitas. Cada poco tiempo Lorencito Quesada se llevaba la mano al corazón para auscultarse la cartera: estaba en el centro de Madrid, en el kilómetro cero, en el corazón mismo de España, y sólo veía a su alrededor mendigos, tullidos, negros, marroquíes, indios de América del Sur que tocaban bombos y flautas, gente patibularia que trapicheaba en las esquinas, asesinos y salteadores en potencia. Al dependiente de un quiosco le preguntó por dónde se iba a la calle de Santa María de la Cabeza. El quiosquero lo miró primero con desconfianza, y luego con lástima y tal vez algo de burla, y le dijo que el camino más corto era subiendo por Carretas hasta Jacinto Benavente y luego torciendo a la izquierda por Atocha.

No quería mirar, pero el desconsuelo y el cansancio debilitaban sus defensas morales, y los ojos se le iban hacia las portadas de las revistas. ¡Hombres con mujeres, hombres con hombres, mujeres con mujeres, incluso mujeres desnudas que acariciaban lúbricamente a cabras o a burros! Y si apartaba la vista de las fotografías del quiosco era peor, porque en la tarde calurosa de primavera había como una densidad de perfumes femeninos que dejaban al pasar las mujeres de carne y hueso, un sobresalto despiadado y continuo de anatomías opulentas, de escotes, de faldas apretadas a los glúteos, de labios rojos de carmín, tacones altos, sujetadores de encaje, corseletes ceñidos que dejaban al descubierto ombligos y cinturas, caras de todas las edades, desde jovencitas ya señaladas por los estigmas del vicio que fumaban y mascaban chicle con la boca abierta hasta señoras de bandera que movían con majestad sus grandes culos cincuentones.

Recordó lo que decía varios años atrás un sacerdote que dio en Mágina un cursillo titulado «Los seglares y la vida sexual»: que en el Padrenuestro no se pide a Dios que nos evite la tentación, sino que no nos deje caer en ella. Para darse ánimos y edificar su espíritu se esforzó en acordarse de la imagen del Santo Cristo de la Greña, que tantas veces lo había consolado en la tribulación, y que ahora, preso de otros sayones, estaría arrumbado quién sabía en qué sótano o zahúrda de Madrid, sin que él, Lorencito, hubiese hecho nada aún para rescatarlo de su cautiverio. Sacó escrupulosamente el bote de sus lentillas donde había guardado la uña venerable, y cuando estaba mirándola al trasluz un individuo de raza blanca, aunque de tez negruzca y rictus amenazador, se aproximó a él y le puso en el costado una navaja de muelles.

—O te abresh o te rajo —declaró, con un acento

incomprensible que a Lorencito le recordaba no obstante el del clásico chulapón de zarzuela, pinchando no su piel, sino la de su cazadora, en la que produjo un notable desgarrón—. En ejte seztor no parte el bacalao nadie más que el chache, oshea: menda. Rigurosha ejlusiva.

Lorencito Quesada no entendió ni una sola palabra, pero tuvo que juntar las piernas para no orinarse y se alejó tan rápidamente como pudo, sin volverse hacia atrás, por miedo a ver de nuevo la cara del delincuente y el brillo de su navaja. Por fortuna, se dijo, no sin un modesto orgullo, había sabido dominar la situación: también había cruzado por primera vez en su vida un paso de peatones sin tomar la precaución de mirar a un lado y a otro, y ahora estaba a la entrada de la calle Carretas, todavía nervioso, desconfiado, alerta, diciéndose que no iba a permitir que le tomaran más el pelo y que Madrid era una ciudad deshumanizada, una selva en la que o comes o te comen. Calle arriba, meditabundo, cabizbajo, pasó junto al vestíbulo de un cine, del que salía una mezcla de olor a desinfectante y a pies que le recordó los gallineros de los cines de su juventud. En éste observó que no había letrero luminoso, ni cartelones exteriores que anunciaran las películas. Una emoción incómoda lo embargó: ¿no sería uno de esos cines en los que se proyectan no ya películas *S*, sino *X*, y que él sólo conocía de oídas, dado que en Mágina no hay ninguno?

En el vestíbulo no había nadie. Nada más que de pensar en lo que podría ver si entraba, a Lorencito Quesada le latía más rápido el corazón y la saliva le faltaba en la boca. Un caballero mayor, con traje oscuro y corbata, con una pequeña insignia patriótica o religiosa en el ojal, se acercó a él y le preguntó educadamente la hora. Lorencito, a quien nada más que la presencia de aquel hombre irreprochable ya lo había disuadido de entrar en el cine, consultó su reloj, y cuando miró otra vez al caballero le pareció que en un segundo había cambiado de cara, porque ahora le guiñaba pícaramente un ojo y se acercaba tanto a él que le rozaba la bragueta con un muslo, diciéndole en voz baja algunas palabras que Lorencito no tuvo esta vez la menor dificultad en comprender: aquel señor tan educado, que le había inspirado tanta confianza, le estaba proponiendo lo que él mismo, valientemente, sin tapujos, llamó después un acto sexual contra natura…

Se alejó de allí, contaría luego, como alma a la que lleva el diablo. ¿No le sería ahorrada en Madrid ni una sola lacra de la condición humana? Frente a él, en la otra acera de la calle, un grupo de turistas japoneses filmaba en vídeo la fachada del cine, coreando a carcajadas que sonaban como trinos de pájaros las explicaciones del guía. Estaba seguro de haber visto en el grupo una camiseta negra con el letrero *Soberano. Osborne.* Hasta el final, en la aciaga calle Carretas no había más que escaparates de bazares médico-ortopédicos, con una tal variedad y abundancia de artículos que Lorencito, al fin y al cabo hombre del comercio, no dejó de admirarse: fajas lumbosacras, cojines de silicona, collarines de viaje, sillas de bañera, sondas esofágicas, peras de irrigación, bragas para la incontinencia, cuñas de evacuación y micción, bragueros, coches de inválidos, brazos y piernas articulados, zapatos con plataforma para cojos, muletas, suspensores, audífonos de color carne adheridos a orejas de goma, postizos para operados de laringe… En la plaza de Benavente pensó que si el inmortal autor de *Los intereses creados* se levantara de la tumba volvería a toda prisa a ella para no ver el espectáculo que sucedía bajo los letreros que llevaban su nombre. Señoras gordas con bolsos de la compra que parecían esperar el autobús se alternaban en las aceras con mujeres de cuerpos jóvenes y flacos y caras como máscaras que llevaban faldas obscenamente cortas y fumaban con los brazos cruzados, en los que no faltaban los tatuajes ni las marcas como de picaduras de insectos. Lorencito Quesada no tardó ni un minuto en comprender que aquellas desgraciadas practicaban el oficio más viejo del mundo... Al objeto de escapar cuanto antes de allí, porque si se quedaba no respondía de su fortaleza moral, cruzó en línea recta la plaza por unos jardinillos decrépitos, oliendo no a vegetación, sino a gasolina y a respiradero del Metro, procurando no pisar a los desechos humanos que bebían a morro botellas de cerveza sentados en el suelo.

Mientras esperaba a que se pusiera en verde el semáforo de la calle Atocha vio al otro lado un letrero que le llamó la atención: *Creaciones Dilaila. La boutique del cabello*. En el escaparate se exhibían pelucas y peluquines que iban del rubio platino al naranja eléctrico y fotos de hombres antes y después de someterse a tratamiento capilar: en las primeras eran calvos y tenían aire de tristeza y vejez; en las segundas sonreían con una juvenil mata de pelo sobre la frente. Pero lo que hizo detenerse en seco a Lorencito Quesada fue descubrir que en la foto más grande, la que presidía el escaparate, en el interior de un marco dorado, estaba la cara morena y varonil de Matías Antequera, con el caracolillo azabache en la frente y el lunar en la mejilla...

Capítulo X

EL DEPENDIENTE ATRIBULADO

En el interior de la boutique del cabello Dilaila, decorado a la última moda, reinaba una sosegada penumbra. El papel pintado de las paredes tenía dibujos geométricos en tonos fluorescentes, y entre los anaqueles y los muebles de línea aerodinámica y audaz plástico blanco colgaban fotos de estrellas del cine y de la canción moderna, algunas tan recientes que Lorencito no estuvo seguro de identificarlas sin error: actrices de moños altos y largas pestañas de rabos pronunciados, cantantes melódicos de pelo largo, aunque cuidado, patillas hasta el lóbulo, jerseys de cuello cisne o corbatas de nudo muy ancho. En vez del tradicional mostrador, había una mesa de cristal en forma de riñón con las patas muy finas en los extremos y abiertas hacia afuera. El dependiente que atendió a Lorencito no desmerecía del marco de su actividad, aunque su indumentaria y su peinado tal vez no habrían recibido el visto bueno de los jefes de El Sistema Métrico, partidarios acérrimos de la línea clásica en la presentación de sus empleados. Era un hombre como de la edad de Lorencito, pero de un aire más decididamente juvenil, con un traje azul marino entallado, de solapas anchas y pantalón de discreta campana, con las patillas largas, aunque muy cuidadas, y el pelo echado hacia adelante. Con esa amabilidad por la que se reconoce en seguida al auténtico profesional se dirigió a Lorencito Quesada dedicándole una sonrisa en la que resplandecía un colmillo de oro: mientras sonreía inclinaba los hombros hacia él y se frotaba las manos.

—Muy buenas tardes tenga usted, caballero, ¿en qué podemos servirle?

—Muy buenas —Lorencito, amedrentado y solidario, dudaba: bien conocía él ese chasco que se lleva uno cuando un posible comprador sólo se acerca para preguntar por una calle—. Pues nada, que pasaba por el escaparate y he visto…

—¡No me diga más! —el dependiente lo empujó hacia un sofá tapizado en piel sintética de cebra, lo hizo sentarse, encendió sobre él una lámpara halógena—. Ha visto usted las maravillas en pelo natural que suministra esta casa y se ha dicho: ¿por qué resignarme a la calvicie prematura, si estos señores me pueden devolver, en plazo breve, con plena satisfacción y total garantía ese aspecto juvenil que sólo da, digan lo que digan, una cabellera abundante? Muchos hombres se lo preguntaron antes que usted, y también muchas mujeres, y ahora van por la vida sin complejos, sin usar esas artimañas ridículas que no engañan a nadie y son la mofa de los malevolentes. ¿Ha visto usted en televisión, por ejemplo, a ese diputado que se hace la raya encima de la oreja, para cubrirse el cráneo con un mechón lamentable?

—Hombre, yo tampoco me veo tan mal —dijo Lorencito, tocándose instintivamente el pelo, que ya le escasea en la coronilla, y que se le transparenta más de lo que él quisiera cuando se ondula su célebre tupé.

—¡Piense en el día de mañana, señor mío! —el dependiente, sentado junto a él, le presionaba con los dedos el cuero cabelludo, envolviéndolo en un intenso olor a azufre Very, producto de dudosa eficacia que también usaba Lorencito—. Le diré más: piense en la comodidad de un bisoñé. Grandiosas civilizaciones, como la egipcia, lo impusieron por higiene y elegancia a todos sus súbditos. Desde el faraón al más humilde escriba, pasando por las más bellas mujeres, como usted bien sabrá si ha leído *Sinuhé el egipcio*, todos se afeitaban la cabeza y llevaban peluca. Grandes figuras de la Historia siguieron usándola a todo lo largo de los siglos, muchas más de las que usted puede imaginar. Julio César, Napoleón, Leonardo da Vinci, Isabel de Inglaterra, Hitler, Charlot, Frank Sinatra, el Papa León X... Por no hablar de más de un galán de la actualidad del que usted jamás sospecharía...

—No me diga más —lo interrumpió Lorencito—: Matías Antequera.

Al oír ese nombre el dependiente se quedó rígido, y cuando volvió a sonreír ya se había apartado de Lorencito y no se atrevía a sostenerle la mirada, fingiendo, para ocultar su nerviosismo, que ordenaba los bucles de una peluca femenina.

—Es paisano mío —Lorencito, incorporándose, se aproximó al dependiente, que se echó temerosamente hacia atrás al ver que él se llevaba la mano al bolsillo interior de su cazadora, para buscar una tarjeta—. De Mágina. ¿No conoce usted el pasodoble que le dedicó a nuestro pueblo? Ahora lo toca la banda municipal en todas las solemnidades, después del Himno Nacional y el de Andalucía.

—Sí que me suena algo —el dependiente ahora fingía dudar—. ¿Pero está usted seguro de que es cliente nuestro? Servimos a tantos artistas de los más diversos géneros…

—Pues ya le tiene que sonar —Lorencito, contra su costumbre, se sentía envalentonado, casi jactancioso: no en vano se había prometido a sí mismo que nadie más volvería a engañarlo en Madrid—, porque tiene usted una foto suya bien grande en el escaparate.

El dependiente pasó a su lado como con miedo de rozarlo, sonriendo, estrujándose las manos, puso el cartel de cerrado en la puerta, echó la llave y bajó la persiana verde pálido, y aun entonces siguió mirando de soslayo hacia la calle, y luego hacia Lorencito Quesada, que experimentaba por primera vez en su vida, con incredulidad y desconcierto, incluso con un poco de halago, la sensación de atemorizar a alguien.

—Es por los drogadictos, sabe usted —el dependiente aludió con un gesto a la puerta cerrada—. Se me cuelan aquí a punta de navaja o de jeringuilla y me roban el género. Y las autoridades qué hacen, se preguntará usted, que parece que viene de provincias. Pues nada, se cruzan de brazos. O los encierran y los sueltan al día siguiente. Entran por una puerta y salen por otra…

Hablaba muy rápido y sonreía como a espasmos, con el lado izquierdo de la boca, donde relucía el colmillo de oro, pero sus ojos asustados seguían fijos no en la cara de Lorencito Quesada, sino en los bolsillos de su pantalón o en sus manos.

—Le juro que no le he contado nada a nadie —continuó el dependiente—. Lo mismo les dije a esos señores que vinieron el otro día, y yo seré como sea, pero sólo tengo una palabra. Yo voy a lo mío, y allá cada cual con su vida… Tengo mujer e hijos, señor, una familia que depende de mí.

—Pero, hombre —Lorencito, que es muy sensible, empezaba a sentir lástima, hasta se imaginaba malvado por alguna razón, responsable del miedo poco a poco convertido en pavor que sacudía al dependiente—. Si yo sólo le he preguntado por Matías Antequera, no se me ponga así, por Dios, no coja ese berrinche, que me va a dar un mal rato. Ande, tranquilícese, fúmese un cigarrito.

Las manos del dependiente tiritaban mientras encendía un sofisticado mechero Flaminaire y no acertaba a aproximar la llama al cigarrillo, tan agitado entre sus labios como si estuviera a punto de soltar un puchero. Se tranquilizó algo al expulsar el humo. Se dejó caer desfallecidamente en el sofá y la lámpara halógena acentuó la palidez cérea de sus facciones.

—Vinieron hace tres días —dijo, como confesándose, chupando tan rápidamente el cigarrillo que apenas inhalaba humo—. Querían un peluquín como el que habían visto en la foto grande del escaparate. Les dije que la casa Dilaila está especializada en crear modelos exclusivos, y que ése en concreto sólo podía usarlo el cliente que nos lo había encargado. Uno de ellos me amenazó entonces con una pistola. Subió conmigo al almacén sin quitármela de detrás de la oreja y me hizo entregarle uno de los peluquines de Matías Antequera. Se los hacemos a medida, y no es por nada, pero los considero personalmente mis obras maestras. No se puede imaginar las caras que tenían. Y esto se lo digo yo, que menudo muestrario tengo nada más que asomándome a la calle. Cuando ya parecía que se iban, el que llevaba la pistola me puso el cañón en la frente y me hizo jurar de rodillas que no le diría nada a Matías Antequera, ni a nadie…

—Venga, hombre, no se me sofoque —Lorencito Quesada fue a ponerle al dependiente una mano consoladora en el hombro, pero el otro retrocedió como si hubiera notado una corriente eléctrica—. Dígame, ¿cuántos eran? ¿Sería capaz de describírmelos?

—Tres, creo. El de la pistola era el más gordo.

—¿Uno de ellos era chino, o japonés?

—¿Y usted cómo lo sabe? —el dependiente casi dio un salto en el sofá y volvió a mirar con terror a Lorencito—. Manejaba un cuchillo muy raro que parecía un berbiquí.

—Un cris malayo —dijo Lorencito, que no había visto nunca dicha arma, pero tenía noticias exactas sobre ella gracias a las novelas de Emilio Salgari.

—Pero el otro era el que ponía más cara de asesino —continuó el dependiente, absorto en su rememoración—. El tercero. El que llevaba esa uña tan larga. Para asustarme me la acercaba a los ojos…

CAPÍTULO XI

UNA INMERSIÓN EN EL FOLKLORE

Una sombra alta y solitaria se proyectó hacia la medianoche sobre la calzada de la calle Bailén y la luz tamizada de niebla de la farola que la alargaba sobre el asfalto húmedo iluminó al mismo tiempo las facciones impasibles del hombre que permanecía quieto en mitad de la calle, sobre la raya blanca, mirando los automóviles que venían por su derecha, desde el Viaducto y la plaza de Oriente, a fin de pasar sin peligro al otro lado. El hombre, Lorencito Quesada, había leído recientemente una novela de espías escrita por un paisano suyo, novela moderna de las que jamás empiezan por el principio ni respetan las normas de planteamiento, nudo y desenlace, pero que, por desarrollarse en Madrid, se le había estado viniendo de modo intermitente a la imaginación desde que llegó esa mañana a la ciudad para encontrar a un hombre, Matías Antequera, al que en realidad no había visto de cerca más de dos o tres veces, una de ellas en directo y ante los micrófonos de Radio Mágina, donde

Antequera, emocionado, con lágrimas en los ojos, rompió a cantar a pelo su pasodoble *Carnicerito torero.*

Influido tal vez por la lectura de aquella novela, Lorencito Quesada cruzó por fin la calle Bailén y bajó hacia las Vistillas pensando que escribía un reportaje futuro o que le contaba a alguien lo que hacía en ese momento. Conforme se aproximaba a la calle Yeseros la noche se iba volviendo más despoblada y oscura, y de vez en cuando volvía la cabeza por miedo a que estuvieran siguiéndolo. Pero había cenado opíparamente en su cuarto de la pensión, apurando hasta el último residuo de lomo con tomate y dando fin a la mollaza, se había dado una ducha (por la que tuvo que pagar un suplemento adelantado de doscientas pesetas) y había dormido, con su pijama tobillero, como Dios manda, dos horas que le sentaron de maravilla, de modo que cuando a eso de las once se vistió para salir, recién afeitado, con toda la ropa limpia, se encontraba en un estado sereno y animoso, dispuesto a enfrentarse de una vez por todas con los flamencos desaprensivos del Corral de la Fandanga y a rescatar a Matías Antequera, quien sin duda lo llevaría hacia la imagen del Santo Cristo de la Greña.

Antes de salir de la pensión llamó a su madre, y le explicó a gritos que la jornada inaugural del Congreso Eucarístico había resultado emocionante, pero que no podría volver a Mágina al día siguiente, porque se esperaba de un momento a otro la llegada de Su Santidad el Papa. Su madre, que tenía, por la edad, algunos fallos de memoria, pensaba que el papa era aún Pío XII, y le pidió a Lorencito que si había ocasión le presentara sus respetos a Su Santidad.

Los faroles pintados del Corral de la Fandanga eran la

única iluminación de la calle Yeseros. A Lorencito Quesada lo amedrentaba el recuerdo del llamado Bimbollo, pero se armó de valor y empujó decididamente la puerta, que estaba entornada, y de la que fluía una luz rojiza y una trepidación de taconeos y palmas. En el pequeño vestíbulo había fotos en color de artistas flamencos estrechando las manos de celebridades internacionales del espectáculo y la política, entre ellas los monarcas reinantes en la actualidad, el príncipe heredero del Japón y la enlutada ex emperatriz Farah Diba. Un portero vestido de corto, con sombrero cordobés, camisa de chorreras y zahones, le preguntó con simpatía y gracejo si deseaba una mesa, y Lorencito, manejando una desenvoltura que a él mismo no dejó de asombrarlo, solicitó una que estuviera cerca del escenario. Pensó que ya se le notaban los efectos beneficiosos de la estancia en Madrid: seguridad y decisión, eso era lo único que necesitaba.

El Corral de la Fandanga registraba un lleno hasta la bandera: en la penumbra de la sala Lorencito advirtió que el público estaba compuesto en su inmensa mayoría por japoneses. Abundaban las monteras taurinas, los sombreros de ala ancha y las cámaras de vídeo y de fotografía, y los taconeos de la bailaora que en ese momento se retorcía sobre el escenario eran saludados con palmas arrítmicas y vibrantes olés. Ya en la mesa, cuando un camarero también vestido de flamenco le trajo la carta, descubrió con amargura que la consumición mínima era de tres mil pesetas, y que para mayor contratiempo la casa no disponía de quina San Clemente. Dispuesto a todo, decidió dar un paso hacia la modernidad y pidió un San Francisco, bebida ésta que según le habían contado era la más habitual en discotecas y guateques.

Vigas de madera sin desbastar y un techo de paja, muy parecido a los que cubrían antes las chozas de los melonares, enmarcaban artísticamente el escenario, donde un anciano algo achacoso, vestido de flamenco, pero con gafas de extrema miopía y zapatillas de paño, tocaba la guitarra, si bien no con mucho sentimiento, porque de vez en cuando se quedaba dormido y una de las mujeres del cuadro de baile lo despertaba a codazos. Eran seis las bailaoras, y se levantaban por turno de las sillas de anea para interpretar a solas y durante unos minutos alguna pieza del rico folklore andaluz, subiéndose hasta más arriba de las rodillas sus batas de cola y acompañadas por las voces de dos cantaores en quienes Lorencito reconoció a Bocarrape y el Bimbollo. Cinco de ellas eran morenas, con grandes ojos negros y moños que al estirarles la piel de las sienes acentuaban la típica belleza española de sus caras. La sexta era rubia y de ojos claros, llevaba el pelo suelto y desde que Lorencito entró en el local no había parado de mirarlo: era la mujer con la que se cruzó esa mañana en la calle Yeseros, la que parecía hacerle señas tras los visillos de un balcón... Batía palmas y cantaba a coro con las otras, y cuando salió a bailar sus taconazos retumbaron en el corazón y en el estómago de Lorencito Quesada, porque alzaba una pierna y se le veían fugazmente las bragas, se inclinaba hacia adelante y era como si los pechos fueran a salírsele del escote, le caía la melena sobre la cara y cuando se la iba apartando sus ojos claros se quedaban fijos únicamente en él.

¿Estaba cayendo, sin darse cuenta, bajo los efectos afrodisíacos o alucinatorios de aquella bebida de gusto dulce y color anaranjado? Lo cierto era que en todos los años de su vida, que ya no son pocos, Lorencito Quesada no recordaba que lo hubiera mirado así ninguna mujer, ni siquiera una de aquellas viudas fumadoras y teñidas que intercambiaban bromas equívocas con los vendedores más jóvenes de El Sistema Métrico. Cada vez que la bailaora rubia le dirigía una de aquellas miradas, que no sería impropio calificar de ardientes, Lorencito notaba una oleada de flojera en las piernas y una presión en las sienes perladas de sudores fríos, y no había modo de evitar que los ojos se le fueran hacia las largas piernas y el generoso escote de la bailaora, que al aproximarse taconeando hacia donde él estaba lo envolvía en el vendaval del vuelo de su falda, en un aire cálido, pesado de perfumes, que lo sofocaba gradualmente y revivía en él los apetitos angustiosos de su lejana mocedad.

Pero lo peor de todo era que el ojo sano y guiñado de Bocarrape también lo había distinguido, y que el cantaor mendaz, al mismo tiempo que gritaba roncamente una copla flamenca, le estaba haciendo señas al Bimbollo, que en ese momento le doblaba las palmas. Mientras cantaban y palmoteaban en una esquina del tablao los dos hombres miraron a Lorencito con torvas sonrisas, y luego Bocarrape hizo un rápido gesto con la cabeza en dirección al fondo de la sala, donde el portero, que estaba de pie y con los brazos cruzados junto a la cortina de salida, pareció comprender y asentir y buscó algo con la mirada sobre los sombreros cordobeses y mejicanos y las monteras torcidas de la concurrencia.

Lorencito, sin que el miedo creciente le atenuara la lujuria, se dijo que debía escapar, pero el cuerpo convulso y los ojos claros de la bailaora rubia lo tenían como paralizado, y además no cabía duda de que el portero lo había identificado y estaba dispuesto a no permitirle una retirada digna. Las palmas, los taconazos y los olés y ayes sonaban cada vez más fuerte, las seis bailaoras habían salido simultáneamente a escena y los japoneses enardecidos saltaban sobre las mesas volcando las jarras de sangría y derrumbándose luego para levantarse unos segundos después sosteniendo sus cámaras. Las caras de los artistas chorreaban sudor bajo las luces tornasoladas de los focos y el suelo tenía una vibración de terremoto, pero en medio de aquella especie de orgía folklórica los ojos de Bocarrape y el Bimbollo continuaban vigilando fríamente a Lorencito Quesada, y la guitarra se iba deslizando hacia las rodillas del anciano tocaor, que ya dormía sin reparo con la boca abierta y la cabeza caída sobre su pechera bordada.

De pronto, cuando Lorencito ya empezaba a sentir ahogos y náuseas, asediado por el calor de la sala y el entusiasmo colectivo de los japoneses, cesó el escándalo y los artistas, cogidos de la mano, todavía jadeantes, se inclinaron para recibir una salva de aplausos. Uno a uno, en fila, empezaron a bajar por una escalerilla que estaba junto a la mesa de Lorencito. Cuando la bailaora rubia pasaba a su lado se le cayó un clavel del pelo y se inclinó para recogerlo, ofreciéndole a una distancia de pocos centímetros el espectáculo turbador de su pechera palpitante. Al levantarse, sin mirarlo, le dijo al oído: «Rápido, escape por esa puerta donde pone *privado*. Espéreme dentro de una hora en el Café Central.»

Capítulo XII

FUGITIVO EN LA NOCHE

El pasillo hediondo y sombrío terminaba en un callejón. Lorencito Quesada salió corriendo y al tropezar volcó un contenedor de basura, provocando una desbandada de gatos o de ratas. Huía cuesta arriba, por calles estrechas y desiertas y plazuelas con álamos, acordándose de la expresión sanguinaria del portero, que al darse cuenta de sus intenciones había braceado en vano entre los japoneses beodos del Corral de la Fandanga queriendo alcanzarlo. Sólo bajo las luces de la calle Bailén sintió que podía respirar con alivio: había bares abiertos y grupos de gente en las aceras, y los faros de los coches deslumbraban el asfalto. ¿Nadie dormía en Madrid los viernes por la noche?

Detuvo un taxi y le preguntó al conductor por el Café Central: consideró que el peligro cierto y la urgencia de llegar a la cita con la bailaora rubia justificaban el gasto de una nueva carrera. Como de costumbre, apuntaría escrupulosamente el importe en su libreta, a fin de rendirle cuenta exacta a don Sebastián Guadalimar en el momento oportuno. Pero la verdad era que se había descubierto una desmedida afición a viajar en taxi por Madrid: recostarse en el asiento trasero e ir mirando las calles y las luces eran placeres que subyugaban a Lorencito Quesada, a pesar del suplicio de ir vigilando de soslayo las cifras crecientes del taxímetro. Vio la plaza de España, sumida en la oscuridad, la resplandeciente Gran Vía, donde aún estaban iluminadas las marquesinas de los cines, la plaza del Callao, la calle de la Montera, con sus aceras pobladas de mujeres escuálidas y de africanos al acecho, volvió a pasar por la Puerta del Sol, la calle Carretas y la plaza de Jacinto Benavente, ya a un paso de la plaza del Ángel, donde le dijo el taxista que estaba el Café Central. Aquella veloz travesía nocturna de Madrid al mismo tiempo le daba miedo y lo excitaba: el sentimiento del peligro era tan intenso como el de una avidez colectiva que se le contagiaba nada más que respirando el aire frío de la noche y oyendo las carcajadas y la música que fluían de los bares abiertos.

El Café Central no era menos ruidoso que el Corral de la Fandanga. También se daban en él actuaciones en vivo, pero no de cante y baile flamenco, sino de una extraña música moderna, interpretada por negros, que a Lorencito, adepto sobre todo a los conciertos dominicales de la banda de Mágina y a los coros de habaneras, no tardó en ponerle la cabeza como un bombo. Lo peor de aquella música no era que le aturdiese los oídos, como cuando en los días de feria tiene que ir a la caseta municipal para hacer la crónica de los conjuntos que actúan allí: lo peor de todo era que no acababa nunca. Logró acercarse a la barra, abriéndose paso entre jóvenes serios y barbudos y muchachas de caras lánguidas que miraban hacia el escenario con los ojos en blanco y moviendo la cabeza como si dijeran sí continuamente a algo, y pidió una copa de vino quinado, explicando al camarero, a gritos, pero en vano, que le daba igual San Clemente que Santa Catalina: de ninguna de esas dos acreditadas marcas existe la menor noticia en Madrid. El camarero llevaba cola de caballo y un zarcillo diminuto en la oreja izquierda, y también miraba al escenario y agitaba afirmativamente la cabeza, sin hacer ningún caso a Lorencito, que al final se decidió por un Bénédictine, agregándole luego, por precaución, medio vaso de agua.

Bebía a tragos muy cortos, porque el licor, incluso aguado, se le sube rápidamente a la cabeza, y vigilaba la puerta, pero ni la muchacha rubia aparecía ni cesaba la música de aquellos negros frenéticos. Durante casi media hora uno de ellos estuvo golpeando a solas y sin descanso ni piedad los platillos y los tambores de una batería, y cuando dejó de tocar y le aplaudieron y ya parecía que todo iba a acabarse se adelantó otro que soplaba un saxofón con la cara encendida, pero Lorencito dejó muy pronto de escucharlo: en la puerta de cristales había aparecido la bailaora rubia, que avanzó entre la gente como sin rozarse con nadie, sola y alta, vestida de negro, buscándolo.

No dio muestras de haberlo visto cuando él agitó la mano desde lejos para llamarle la atención. Pasó junto a él, con un gesto le indicó que la siguiera. La vio desaparecer tras una cortina que conducía a los lavabos, y sólo entonces fue tras ella. Estaba claro que por razones poderosas prefería que no los vieran juntos... Debió emplear denodadamente las rodillas y los codos para abrirse camino entre la apelmazada multitud que seguía aguantando a pie firme los pitidos y los bocinazos del saxofón sin dar señales de fatiga. ¿No los asfixiaban los vapores del alcohol y el humo denso del tabaco, no enloquecían con el ruido? Al menos en las escaleras que subían a los lavabos el aire casi era respirable y se atenuaba la música. Había muchos peldaños, y a Lorencito le palpitaba el corazón. Le palpitó mucho más fuerte cuando llegó arriba y vio a la rubia asomada a la puerta del lavabo de señoras, al fondo de un salón con el techo muy bajo, iluminado por tubos fluorescentes.

—Vamos, entre, que lo van a ver —dijo la rubia, asiéndolo del brazo.

—Me da no sé qué… —Lorencito dudaba: en aquel reducto femenino se moría de vergüenza. Pero la rubia tiró de él, miró un instante hacia afuera y luego cerró. No parecía la misma que en el Corral de la Fandanga: ahora iba sin maquillar y llevaba el pelo liso, un vestido flojo y largo, unas gafas redondas con montura de alambre, y en lugar de tacones unos zapatos negros, de suela gruesa y plana, todo lo cual le daba un severo aspecto como de apostolado seglar, muy parecido al de las chicas de Mágina que asisten a los retiros espirituales para jóvenes. Con la nuca apoyada en la puerta miró un instante al vacío mientras seguía la vibración débil de la música.

—Me fascina el jazz —dijo—. Me fascina absolutamente. ¿A usted no? Me gustan sus ambientes oscuros y cargados de humo. ¿Sabe lo que más me gustaría en la vida? Ser negra, negra como Billie y como Ella. Cantar borracha en un club a las cinco de la madrugada…

—Pero usted también es artista —apuntó Lorencito, queriendo tímidamente halagarla.

—No llame arte a eso que yo hago por ganarme la vida —la rubia suspiró, mirándolo a los ojos—. Es una mixtificación acultural, el típico discurso vacío, no una asunción válida de las propias raíces. Aunque le extrañe, soy licenciada en Psicología y Antropología.

Lorencito no entendía nada, pero la mirada de la chica, el color de sus ojos, las formas turgentes de su cuerpo bajo aquel vestido penitencial, su olor reciente a gel de baño, le producían un efecto como de ansiosa beatitud, acentuado por la proximidad en aquel espacio tan angosto. Que por edad la rubia pudiera ser su hija no lo amedrentaba menos que el descubrimiento de que tenía estudios superiores. Unos pasos muy cerca de la puerta los inmovilizaron a los dos: alguien intentaba abrir, veían girar el pomo y se miraban en silencio.

—No hay tiempo que perder —dijo la rubia, cuando los pasos se alejaron—. Pueden habernos seguido. Pueden llegar en cualquier momento.

—¿Quiénes? —Lorencito volvía a tener miedo—. ¿El Bocarrape y el Bimbollo?

—Los otros —la rubia se mordió los labios sin pintar—. Los más peligrosos. Los que raptaron al pobre Matías Antequera.

—¿Uno gordo, un chino y uno que lleva una uña muy larga?

—Yo no los he visto nunca —dijo la rubia—. Si los hubiera visto, si sospecharan de mí, no estaría viva…

—¿Cuándo desapareció?

—Estaba muy raro los últimos días —la rubia tragó saliva, buscó con nerviosismo en su bolso, encendió un cigarrillo. Lorencito consideró que fumaba de un modo adorable—. No hablaba con nadie, ni siquiera conmigo, se encerraba en su camerino y yo lo oía rezar. El miércoles no fue al trabajo, ni ayer. Esta mañana me llamó por teléfono. Ya estaba secuestrado, pero consiguió de algún modo ponerse en contacto conmigo. Me pidió que hiciera todo lo posible por hablar con usted…

—¿Le dijo a usted adónde lo han llevado?

—Le vendaron los ojos y lo metieron en un coche. «Dile a mi paisano por lo que más quieras que soy inocente»: no paraba de repetirme lo mismo. Se ve que tiene en usted mucha confianza.

—¿No le dijo nada más? —Lorencito la apremiaba como un detective—. Alguna pista, alguna palabra clave…

—El universo de los hábitos —de pronto la rubia recordó—. Eso fue lo último que me pudo decir…

Pero se había olvidado de sujetar el pomo de la puerta: en el espejo del lavabo la vieron abrirse y una figura masculina apareció en ella. Entonces la rubia se echó instantáneamente en brazos de Lorencito Quesada, lo atrajo hacia sí con los ojos cerrados y le introdujo una lengua movediza y afanosa en la boca, apretándose muy fuerte contra él, muy fuerte y a la vez con una dulce blandura. Pero en menos de un segundo todo había terminado: la figura desapareció del espejo, la golosa lengua ya no estaba en su boca, la rubia había escapado corriendo del lavabo, una mujer detenida en la puerta soltaba una exclamación al ver a Lorencito Quesada. También él se vio en el espejo: estaba echado contra la pared, con el tupé deshecho y las piernas abiertas, con los faldones de la camisa fuera del pantalón, como un degenerado.

Capítulo XIII

EL HÍPER DEL PECADO

Con las venas del cuello y de las sienes hinchadas, con los ojos vueltos, como los santos en estado de trance, el saxofonista aún seguía emitiendo un sonido de claxon cuando Lorencito Quesada bajó de los lavabos del Café Central, buscando a la bailaora rubia con un vano residuo de esperanza. Iba como trastornado, con los ojos tan vueltos como el saxofonista, acomodándose aún los faldones de la camisa, mirándose de reojo en los espejos de las columnas para ajustarse la corbata, para recuperar la onda exacta del tupé. Tan aturdido iba que no le extrañó que alguien gritara su nombre entre el barullo de la música unos segundos antes de que unos dedos de acero se le hincaran en el hígado.

—¡Lorencito insigne! ¡Como yo digo, el mundo es un pañuelo! ¡En un Madrid, y vernos dos veces el mismo día!

Entre las caras pálidas, intelectuales y devotas, entre las barbas y las gafas, las orejas masculinas con pendientes, las mujeres lánguidas y enigmáticas que fumaban con los finos labios apenas separados, había aparecido como una victoriosa irrupción de Mágina en medio del más sofisticado cosmopolitismo la cara ancha, colorada, saludable, nutrida inmemorialmente de torreznos, tortas de candelaria y potajes de garbanzos, la cara redonda como un pan de Pepín Godino. Un acceso de recelo contuvo y casi desbarató la franca alegría de Lorencito Quesada al reconocer a nuestro paisano y mirarle de soslayo, cuando se recuperaba de su certero *uppercut,* la uña impoluta del meñique.

—Hombre, Pepín, qué sorpresa.

—¡No me llames Pepín! En Madrid todo el mundo me llama Jota Jota. Veo que a ti también te ha dado por el tema del jazz…

Pepín Godino tomó a Lorencito del brazo y lo usó como ariete para abrirse camino hasta la salida. La tranquilidad y el aire fresco de la calle disiparon rápidamente los vapores del alcohol y el martirio de la música, pero no las sospechas de Lorencito ni el sabor de aquella lengua lúbrica que unos minutos antes se agitaba en su boca. Iban a dar las tres de la madrugada y en la calle había cada vez más coches y más gente. Pepín Godino, Jota Jota, lo guiaba del brazo por la angosta acera de una calle llamada de las Huertas y le hablaba a gritos para que su voz prevaleciera sobre el ruido de los motores, los cantos espirituosos de los noctámbulos y la música que salía de los bares, pero él, en vez de oírlo, levitaba, acordándose de la blandura cálida del seno palpitante de la bailaora, de los muslos duros y largos que habían atenazado los suyos durante menos de un segundo en el lavabo de señoras del Café Central.

Decididamente, reflexionó, era un irresponsable: en circunstancias tan comprometedoras como las que lo envolvían esa noche en Madrid sólo pensaba que tenía sueño y que estaba caliente, más caliente que el rabo de un cazo, para decirlo en los términos soeces que emplean los mocetones rústicos de Mágina, esos de bozo sombrío y granos en la cara que no se acercan a la confesión para no declararse convictos del vicio solitario.

—¡Mira, mira, Quesada, qué mujerío, qué carnes!, fíjate en ésa, cómo mueve el culo, mira cómo se restriega con el tío que va con ella, y la otra, ésa, la que viene hacia aquí, ¡vista a la derecha, que te la pierdes, Lorencito inconmensurable!, fíjate qué pantalón lleva, que se le nota todo, si es que van prácticamente desnudas. ¿Y sabes en qué van pensando todas? —Pepín Godino se detuvo, dándose varias palmadas en la frente con la mano derecha—. ¿Sabes lo que llevan aquí, *incustrado*, como yo digo, en el cerebro? ¡El tema sexo...! Pero a ver, celebérrimo, con la mano en el corazón, francamente, de hombre a hombre, ¿cuánto hace que no mojas?... O dicho más finamente, ¿cuándo fue la última vez que echaste un coito?

—Hombre, Pepín —Lorencito se puso colorado mientras intentaba bucear en las regiones más arcanas de su memoria—. Esas preguntas no se hacen.

—¡Basta de Pepín y Pepín! Tú a mí me llamas Jota Jota o no te llevo a donde pensaba llevarte...

El gentío los expulsaba de la acera: tenían que caminar entre los coches atascados, eludiendo deportivos con las ventanillas abiertas por las que salía un estruendo de música de baile y motos rugientes sobre las que cabalgaban parejas con cascos de astronauta y trajes de cuero. En todas las esquinas había negros o árabes vendiendo tabaco de contrabando y familias enteras de coreanos o vietnamitas abrigados con anoraks que ofrecían bocadillos y latas de Coca-Cola y de cerveza. Pepín Godino guiaba a Lorencito con soltura y decisión y le daba codazos y le guiñaba un ojo cada vez que distinguía a una mujer de bandera.

—¡No todo va a ser en la vida adoración nocturna y novenas del Santísimo! —continuó, moviendo la cabeza en todas direcciones, alargando el cuello como un ave zancuda para seguir con la vista a las mujeres que pasaban—. Voy a llevarte a un sitio que no olvidarás nunca, Quesada, y no me lo preguntes porque no te pienso contestar… ¡Hay que espabilarse, hombre, no me pongas esa cara, que no estamos en un entierro!

«El universo de los hábitos», pensaba Lorencito: en esas palabras de Matías Antequera estaba sin duda la clave del enigma de su cautiverio, pero por más vueltas que le daba no conseguía vislumbrar ni una raya de luz. ¿Sería un mensaje cifrado, una especie de contraseña, el nombre de algún sitio? La falta de sueño, los impulsos de la lujuria, el estrépito de la calle Huertas y la palabrería incesante de Pepín Godino no lo dejaban pensar. Vio que torcían a la derecha por una calle más despoblada y más sombría y temió estar siendo conducido a una trampa, o quién sabe si a uno de esos locales oscuros que llaman whiskerías, donde mujeres venales y desnudas sirven bebidas narcóticas a los incautos…

—¿Falta mucho para llegar? —le preguntó tímidamente a Godino.

—¡No te impacientes, Quesada, que ya te noto ávido de placeres carnales, como dice el párroco de la Trinidad!

—Habían llegado a una calle transversal y más ancha, y Pepín Godino señaló con un ademán de descubridor hacia la acera de enfrente, donde refulgían grandes letreros de neón—. ¡Estás a punto de hollar con tus plantas piadosas el mayor *sex-shop* de Europa, la catedral del vicio, la basílica de los doce pecados capitales!

—Son siete —dijo Lorencito, mientras cruzaban la calle, que resultó ser la de Atocha.

—Eso será en provincias, que estáis más atrasados —Pepín Godino ahora lo empujaba, abría delante de él una gran puerta de cristales que daba a lo que parecía el vestíbulo lujosamente iluminado y decorado de unos grandes almacenes. Le señaló una pared ocupada enteramente por estanterías como las de los videoclubs—. Mira qué películas, Quesada predilecto, las más fuertes del mercado en el tema porno. Pero no te pares, que se te van los ojos, y prepárate, que todo esto no es más que el aperitivo... Se impone una visual rápida al *sexy-bar*.

Hombres cabizbajos y de mediana edad y grupos de adolescentes de mirada turbia deambulaban por anchos corredores de paredes de mármol y suelo de linóleo, examinando las portadas de los vídeos (que Lorencito procuraba no mirar) o los extraños artículos ordenados sobre anaqueles de cristal que tenían algo de escaparates de ortopedia. Sonaba una música estridente entremezclada con jadeos febriles que se hizo más intensa cuando Pepín Godino levantó una pesada cortina negra. Lorencito lo siguió, y al principio, como iba algo atontado, sólo vio la barra de un bar ocupada únicamente por hombres que bebían y conversaban acodados en ella. Un cañón de luz roja y azul barría desde una esquina del techo la penumbra y una voz masculina gritaba en un micrófono con el mismo acento que los locutores de las tómbolas: entonces, como si lo aniquilara una aparición, Lorencito vio a una mujer que bailaba sobre la barra, sin más vestuario que unos tacones de charol y una cadena dorada alrededor del tobillo, revolviéndose el pelo negro al ritmo de la música, acariciándose las ingles con las dos manos abiertas. Los hombres bebían con las cabezas levantadas y las luces rojas y blancas del suelo proyectaban sombras de máscaras en sus rasgos inmóviles.

—Vámonos de aquí —dijo, casi rogó, con la voz temblorosa, notando que la sangre se le subía a las sienes, bajando la mirada. Pepín Godino miró su reloj de pulsera y se encogió de hombros, gozoso y exaltado, muy serio en fracciones de segundo, la cara roja y azul a la luz de los focos.

—Espera, que todavía no hemos terminado —declaró: habían salido del *sexy-bar* y ahora lo llevaba por un pasillo de cabinas numeradas. En una de ellas, un hombre vestido con un mono de color naranja pasaba una fregona por el suelo y esparcía un aerosol desinfectante.

Cuando la cabina estuvo libre, Pepín Godino empujó hacia el interior a Lorencito, al mismo tiempo que le entregaba un puñado de monedas, diciéndole: «Entra ahí y me lo agradecerás eternamente.» Tardo siempre, débil de carácter, con el corazón sobresaltado, Lorencito Quesada se quedó encerrado en la cabina, frente a un espejo de cuerpo entero y a una especie de taxímetro que lo urgía en silencio con parpadeos electrónicos: *Deposite monedas.*

Capítulo XIV

EL PUÑAL HOMICIDA

La cabina era casi tan estrecha como el retrete de un bar. Había, frente al espejo, un taburete acolchado, y, junto al marcador o taxímetro una repisa de cristal con un rollo de papel higiénico de color rosa. Lorencito observó que el hombre de la limpieza se había olvidado del desinfectante, que atosigaba el aire ya de por sí enrarecido con un olor a amoníaco y a ozonopino. Le daba vergüenza hasta de ver su cara en el espejo: pálida, un poco abotargada, con una sombra de barba en las mejillas, que habían perdido, por efecto de la luz, del cansancio o de la disipación, su sonrosado habitual. ¡Tenía la mirada turbia y los lagrimales enrojecidos, como un esclavo de la depravación! En el marcador empezó a sonar un pitido como el de los relojes digitales y el parpadeo de las letras rojas se hizo más rápido: *Deposite monedas. Deposite monedas.*

Todas las que Pepín Godino le había suministrado, en un rasgo sospechoso de generosidad, eran de quinientas.

A ver qué pasaba, Lorencito introdujo dos en la ranura. Por un instante se apagó la luz y no vio nada más que los números rojos del marcador. Los latidos de su corazón le repercutían angustiosamente en el estómago, sentía miedo y vergüenza pero era incapaz de marcharse de allí. En el espejo surgió una fosforescencia azulada y acuática en la que se definió poco a poco la forma de otra cabina muy parecida a la que él ocupaba, con la misma moqueta y el mismo taburete, pero cerrada por un cortinaje negro. Una mano con las uñas pintadas de rojo lo entreabrió: tras ella vino, deslizándose en la claridad azul, la mujer más alta y más blanca que Lorencito Quesada había visto nunca, *una mujer de rompe y rasca*, exclamaría con vehemencia mucho después, cuando se atreviera a contarlo, escogiendo los términos más apasionados de su vocabulario: los labios gordezuelos, la nariz respingona, los senos turgentes, los pezones enhiestos, los muslos escultóricos, la piel como alabastro, los hombros anchos y fornidos. Llevaba unas bragas mínimas y casi transparentes de encaje y un collar con un pequeño crucifijo dorado. Se sentó en el taburete, cruzó las piernas y bostezó mirando directamente hacia Lorencito, con una expresión vacía en los ojos. «No puede verme», pensó él con alivio, pero también con desconsuelo: si no fuera por el cristal se rozaría con ella. La mujer disimuló un segundo bostezo con la mano y tomó del suelo un cartel que puso ante los ojos de Lorencito.

1.000 ptas.: me desnudo
2.000 ptas.: me masturbo
3.000 ptas.: me masturbo con vibrador

Le faltaba el aire, le sudaban las palmas de las manos, humedeciendo el puñado de monedas, escalofríos y picores le sacudían el cuerpo. Pensó que si no se marchaba inmediatamente de allí era por no sufrir las burlas con que lo escarnecería Pepín Godino. La mujer seguía sentada frente a él, al otro lado del cristal, con la misma expresión de aburrimiento que la cajera de una tienda sin público. Se impacientaba, acercaba mucho la cara al cristal haciéndose pantalla con las dos manos para distinguir a Lorencito y él retrocedía buscando el amparo de la oscuridad. La mujer estaba diciéndole algo, pero el cristal era muy grueso y apenas se la oía, y además hablaba muy poco español.

Avergonzado, ridículo, intimidado por ella, Lorencito fue a depositar más monedas en el marcador, pero se le cayeron al suelo y tuvo que arrodillarse con dificultad y tantear en la moqueta para encontrarlas, y cuando por fin introdujo dos o tres en la ranura y la mujer pareció que revivía del tedio y se desperezaba y desplegaba lentamente sus miembros Lorencito quedó sumido en un estado muy próximo a la hipnosis, comparándola en su imaginación con una diosa griega, con una estatua de Rubens. Tan absorto estaba mirando lo que no había visto nunca en su vida que no se dio cuenta de que tenía la cara pegada al cristal ni de que la puerta de la cabina se abría sigilosamente tras él.

Sólo se volvió cuando ya era casi demasiado tarde, al oír el ruido de un pestillo, y entonces se olvidó de la mujer que ahora tenía las piernas muy separadas y había empezado a manejar, con los ojos cerrados, con un aire indiferente de rutina y fastidio, como una peluquera cansada, un extraño artefacto que sin duda funcionaba a pilas: detrás de Lorencito, con la cara débilmente iluminada de azul, el mismo oriental que le llevó el sobre a la pensión, el que lo persiguió por las Vistillas con una cámara de vídeo, alzaba ahora muy despacio un pérfido cris malayo.

Sin volverse del todo, como en un sueño lento y silencioso, Lorencito vio la sonrisa y los ojos rasgados del sicario japonés y el brillo del puñal. Pensó que iba a morir y que la punta tardaría mucho tiempo en clavársele, levantó la mano derecha y asió con sus dedos gruesos y blandos la muñeca nervuda que sostenía el puñal, recibió un rodillazo en el estómago, cayó al suelo doblándose y derribando el taburete y vio que al otro lado del cristal la mujer aún manejaba aquel artefacto a pilas y se relamía los labios y la barbilla húmeda, alzó la cabeza, abrió la boca queriendo respirar y notó en la garganta la presión de unos dedos que se lo impedían. Estaba sentado en el suelo, contra la pared, con un brazo retorcido a la espalda, y el japonés le tenía las piernas apresadas, le sujetaba el cuello con una mano hundiéndole en la papada las yemas de los dedos y con la otra le acercaba el puñal, murmurando cosas en su idioma, seguramente injurias o maldiciones orientales. «Va a degollarme», pensó Lorencito, y cerró los ojos con más resignación que terror. Entonces tocó algo, lo empuñó instintivamente, en una décima de segundo comprendió que era el frasco de aerosol desinfectante. Golpeó con él la hoja del puñal que ya le estaba rozando el cuello y luego disparó un chorro de spray contra los ojos del japonés, le bañó toda la cara, se puso en pie y le dio un golpe en la nuca tan fuerte como pudo, y ya enfurecido, poseído por el instinto de supervivencia de la especie, él, que es incapaz de hacer daño a una mosca, levantó con las dos manos el taburete y lo descargó sobre la cabeza del japonés, que ya empezaba a incorporarse, y que al recibir el tercer golpe tuvo un estremecimiento como de toro apuntillado.

Pero lo más raro era que no había transcurrido ni un minuto y que apenas se había roto el silencio. En el marcador electrónico aún quedaban monedas, y la mujer, tras el cristal, pataleaba suavemente sobre el taburete, con los muslos juntos y los pies extendidos, como si nadara hacia atrás en aquella luz líquida. El japonés no se movía ni respiraba: por miedo a haberlo matado, y también a que siguiera vivo y lo atacara de nuevo, Lorencito no se inclinó a examinarlo, pero le tuvo que apartar las piernas para abrir la puerta de la cabina, y entonces le pareció que oía como un gorgoteo o un gemido.

Cuando salió al corredor la intensidad de la luz le hizo daño en los ojos. Eran más de las cuatro, pero aún merodeaban por el establecimiento unos pocos noctámbulos, y venía música del llamado *sexy-bar*. Ni rastro de Pepín Godino, por supuesto. Consumada la traición, había huido, pero era posible que apareciera algún otro secuaz del japonés. Lorencito contenía a duras penas la tentación de escapar corriendo. Dos guardas jurados de tamaño hercúleo, gafas de sol y revólver al cinto se interponían entre él y la puerta de salida y lo miraban acercarse, con los brazos en jarras. En ese mismo momento, mientras a él le faltaban menos de diez pasos para llegar a la calle, el hombre de la limpieza podía estar entrando en la cabina donde yacía el japonés. Se oiría un grito, habría una confusión de luces rojas y alarmas, uno de los guardas jurados le pondría pesadamente una mano en el hombro…

Pasó entre ellos sin mirarlos, tieso, con el estómago encogido, con la camiseta de felpa empapada en sudor, con los ojos fijos en las puertas de cristales y en los discos azules con flechas blancas de dirección obligatoria que había en cada una. Le pareció un milagro que nadie le impidiera empujarlas y que resultara tan fácil llegar a la calle. Era preciso alejarse cuanto antes de allí, pero Lorencito no sabía hacia dónde. La pensión estaba relativamente cerca: ¿no sería, sin embargo, una temeridad volver a ella, no era lo más probable que sus enemigos estuvieran esperándolo para tenderle una nueva trampa? A Lorencito le flaqueaba el ánimo y le daban ganas de renunciar a todo y de sentarse a llorar en un escalón.

Bajaba por la calle Atocha cruzándose con sombras lentas y de hombros hundidos que arrastraban los pies y llevaban con dificultad viejas bolsas de plástico. En los portales de algunas tiendas dormían hombres o mujeres tirados entre cartones y harapos. Para eludir a un grupo de amenazadores melenudos que venían directamente hacia él torció a la izquierda por una calle que se llamaba de Fúcar. Medio dormido, muriéndose de tristeza y de hambre, la siguió hasta el final, donde le llamó la atención la fachada de piedra de una iglesia: su único consuelo en aquella noche amarga fue descubrir que había llegado a la basílica de Jesús de Medinaceli. Leyó en un cartel que la primera misa era a las siete y media. Se sentó en el escalón, arrebujándose en su chaqueta, dispuesto a esperar a que se abrieran las puertas y a distraer el tiempo rezando un rosario, que buena falta le hacía. Antes del segundo misterio ya estaba dormido.

Capítulo XV

EL BÁLSAMO DEL ARREPENTIMIENTO

Soñaba que una cuadrilla de malhechores compuesta por miembros de todas las razas humanas lo perseguía por los corredores con espejos y mujeres desnudas de El Sistema Métrico. Intentaba escapar, pero tenía los pies y las manos helados, y ni siquiera podía desprenderse de los dedos con uñas largas y curvas que le recorrían la ropa como veloces parásitos. Las voces que sonaban en el sueño acabaron de despertarlo: «¡Sinvergüenza!» «*Ehjraciao*, que nos quitas el pan!» «*¡Azvenedizo!*» «*¡Ehjirol!*» Lo primero que vio al abrir los ojos fue una mano mugrienta que se le deslizaba hacia el interior de la chaqueta. La golpeó como si se sacudiera un insecto y otras dos manos más rápidas y más sucias le estaban desatando los cordones de los zapatos. «Cuidado, que ya vuelve», dijo una voz, y agregó otra: «Pues parecía que estaba de cuerpo presente.»

Al recobrar del todo el conocimiento Lorencito Quesada se encontró rodeado por un grupo de mendigos hostiles, y no tardó mucho en darse cuenta del motivo de su animadversión: al sentarse en el quicio de la puerta de Jesús de Medinaceli había usurpado inadvertidamente el puesto de mayor jerarquía y más provecho para la mendicidad, y ahora los veteranos en el escalafón de pedigüeños se disponían no sólo a robarle hasta las pestañas, sino también a ahuyentarlo de allí con drásticas medidas que incluían cortes de navaja en la cara y estacazos propinados con las muletas de un tullido, el cual se cubría malamente con los restos de un hábito morado y debía de ostentar la máxima autoridad entre aquellos indigentes, porque era el que hablaba más alto y mantenía a raya, a muletazos, a los que intentaban despojar a Lorencito, sin duda con la idea de reservarse lo mejor del botín.

—Aquí se asciende por antigüedad —le dijo—, lo mismo que en los Ministerios.

Los primeros rayos de sol ya desentumecían las piernas de Lorencito, que procuraba irse deslizando hacia el interior de la iglesia, en busca de refugio, pero un individuo con las dos piernas cortadas y un cartel sobre el pecho con una fotocopia del libro de familia le cortó el paso por detrás, esgrimiendo un tubo de plomo, y el supuesto tullido, que se movía tan ágilmente como si hubiera obtenido una curación milagrosa, le hundió en el pecho la punta de su muleta.

—Procedamos en orden —declaró con suficiencia técnica el tullido, extendiendo una mano abierta hacia Lorencito—. Lo primero: el peluco.

Lorencito, para fortuna suya, no llegó a comprender el significado de esa palabra, perteneciente sin duda a lo más bajo del argot delictivo, porque cuando más perdido se creía los mendigos se apartaron de él y fueron a distribuirse rápidamente por las escalinas de la iglesia, como escolares díscolos en un aula donde acaba de entrar el maestro. El tullido torció el pie derecho y todo su cuerpo quedó pendiendo de las muletas, el de las piernas cortadas guardó el tubo de plomo y sacó un rosario que empezó a desgranar piadosamente, el que había intentado robar la cartera y los zapatos de Lorencito se puso unas gafas de ciego y prorrumpió en jaculatorias: frente a la iglesia se había detenido un largo automóvil negro con cristales ahumados, y poco después un chófer con gorra de plato y traje azul marino le abría la portezuela de atrás a un caballero muy alto, de figura imponente, barbilla cuadrada, pelo blanco y expresión decidida y severa. El caballero se santiguó, se abotonó la chaqueta, se estiró los puños de la camisa, donde refulgían unos gemelos dorados, miró con altivez a la populosa concurrencia de piltrafas humanas y le hizo una seña al chófer antes de subir con un par de saltos vigorosos la escalinata de la iglesia y desaparecer en su interior, acompañado por cuatro hombres de espaldas fornidas, gafas de sol, bigotes negros y pequeños sonotones en las orejas que habían salido al mismo tiempo que él de otro coche estacionado tras el suyo. El chófer esparció a voleo varios puñados de monedas y Lorencito aprovechó para huir la contienda subsiguiente entre los mendigos, que se revolcaban por las losas los unos sobre los otros, mordiéndose, pisoteándose, profiriendo espantosas blasfemias.

Con recogimiento ejemplar entró en la basílica. La penumbra, el murmullo de los rezos, la belleza de las imágenes que ornan sus capillas, la devoción de los fieles que avanzaban arrodillados por la nave lateral en dirección al camarín de Jesús de Medinaceli, actuaron como un bálsamo para su espíritu tan necesitado de edificación y consuelo. Al fondo, muy alta sobre el ábside, como gravitando por encima de las pasiones y las miserias humanas, iluminada por varias hileras superpuestas de cirios, estaba la venerada imagen, que se parece un poco al nuestro Cristo de la Greña, sobre todo porque también tiene una espesa mata de pelo natural. La visión sobrecogió a Lorencito: tan lejos y tan alto, con su tez tan oscura bajo la sombra del pelo, a la luz de los cirios, Jesús de Medinaceli parecía mirarlo precisamente a él, con reprobación y tristeza, por sus recientes y culpables desvíos.

Temía no ser digno de subir al camarín y de besar el pie bruñido y gastado por los labios de generaciones de devotos. Se acordó del centurión del Evangelio: «Señor, no soy digno de que entres en mi casa, pero una palabra tuya bastará para sanarme.» Por la nave lateral, junto a las capillas y los confesonarios, avanzaban oscilando fieles de rodillas. A Lorencito lo admiró comprobar que eran de todas las edades, de todas las clases sociales. Jóvenes con zapatillas, cazadoras y vaqueros, humildes amas de casa, damas de la alta sociedad. Madrid, pensó, no sólo era la Babilonia, la Sodoma y Gomorra en las que él se había extraviado durante todo un día y una noche. La juventud no sólo se entregaba a la droga y a la promiscuidad: hay una mayoría sana de jóvenes creyentes, pero ésos, decidió escribir en cuanto volviera a Mágina, no son noticia ni salen en la prensa.

El caballero de pelo blanco y los cuatro hombres con bigotes negros y gafas de sol iban de rodillas delante de él, formando un grupo compacto. Adelantaban por la izquierda a los fieles más lentos, colisionando con algunos, y el caballero miraba de vez en cuando un reloj de pulsera dorado. A Lorencito su cara, a pesar de las gafas, le resultó conocida. ¿La había visto en algún periódico, en la televisión? El chófer también iba de rodillas junto a su patrón, aunque se le veía menos costumbre de ejercitar aquella penitencia. Cuando llegaron al principio de la escalera que sube al camarín los seis hombres se pusieron al mismo tiempo en pie y el chófer sacó un pequeño cepillo de lomo plateado, hizo una reverencia y le limpió las rodilleras del pantalón a su jefe. Lorencito ya no los siguió: se detuvo a poner una vela en una capilla, pero descubrió que ese anticuado procedimiento de culto ya no se usa en las iglesias de Madrid; ahora, en vez de encender una vela, se oprime un botón después de introducir la limosna en el cepillo, y entonces se ilumina un piloto rojo en un moderno panel, lo cual es sin duda más práctico, porque aparte de suprimir todo peligro de incendio evita la posibilidad de que se enciendan velas sin previa aportación de óbolo.

Cabizbajo, contrito, subió al camarín, y se puso en la cola de los que iban a besar el pie de Jesús. Muy por delante de él distinguió el pelo blanco del caballero penitente, rodeado por las cuatro espaldas montañosas de sus acompañantes. Algunos fieles se daban golpes metódicos en el pecho, otros pasaban cuentas de rosario o murmuraban oraciones con los ojos entornados. Lorencito no se atrevía a levantar los ojos hacia la cara sombría y afable de Jesús. A la izquierda de la imagen estaba sentada una señora rubia que le limpiaba el pie con un paño blanco después de cada beso. Lorencito echó una moneda en el cepillo y cuando se encendió el piloto rojo le vino un recuerdo impío que se apresuró a rechazar...

Pero el hábito morado de la imagen también le trajo otro recuerdo, e inmediatamente después una intuición y una certeza: la tela que envolvía la reliquia del Santo Cristo de la Greña en aquel sobre que recibió en la pensión era tela de hábito; las últimas palabras que le dijo Matías Antequera a la bailaora rubia fueron «*El universo de los hábitos*». ¿Cómo no lo había comprendido antes? ¡Sin más remedio el sobre procedía de una tienda de hábitos que llevaba ese nombre, y en ella tendrían oculta la imagen del Santo Cristo de la Greña! Bajó del camarín trastornado, sin fijarse dónde ponía los pies, y como los peldaños eran tan estrechos le faltó poco para caer rodando y descalabrarse. Chocó con alguien y al pedir perdón vio que era el caballero peliblanco. Los cuatro acompañantes y el chófer se volvieron simultáneamente hacia Lorencito, rodeándolo con sus torsos hercúleos, y uno de ellos se llevó la mano hacia el costado izquierdo de su chaqueta, que parecía singularmente abultado. El caballero agitó el dedo índice y los cinco hombres se apartaron. Antes de salir de la basílica, Lorencito vio que el caballero estaba arrodillado junto a un confesonario, y que sus acompañantes, incluido el chófer, formaban un semicírculo a su alrededor, con los brazos cruzados y las piernas abiertas, esperando turno sin duda para acercarse a la confesión. En cuanto a él, Lorencito, también le urgía el sacramento, pero lo primero de todo era encontrar sin pérdida de tiempo esa misteriosa tienda llamada El Universo de los Hábitos.

Capítulo XVI

UN HALLAZGO CRUCIAL

Justo enfrente de Jesús de Medinaceli había una tienda pequeña, pero muy bien surtida, de artículos religiosos, y en ella pidió razón Lorencito Quesada de El Universo de los Hábitos. Tan mala cara debieron de verle que nada más entrar un provecto mancebo de guardapolvo gris le dio un duro de limosna, y a continuación un guarda jurado —parece que Madrid está lleno de ellos, dice Lorencito, y que son todavía más idénticos entre sí que los turistas y los sicarios orientales— lo echó a empujones del establecimiento, notificándole de paso que si volvía a entrar le saltaría los dientes, y que las tiendas de hábitos, lo mismo en género que en confección, suelen estar en la calle de Postas.

Los mendigos de la puerta de la basílica andaban ahora tan ocupados por la creciente afluencia de fieles, pregonando desgracias, jaculatorias y peticiones de caridad, que ni siquiera repararon en él. No obstante, se alejó lo más rápido que pudo y con la cara vuelta hacia la pared, por si las moscas. En el cristal de un escaparate se vio tan desmejorado, en un estado tan lamentable de higiene y presentación, que apenas pudo reconocerse. ¡Él, que se caracterizó siempre entre los empleados de El Sistema Métrico, incluso los de categorías superiores, por su extrema, su casi legendaria pulcritud! Se imponía, si no una ducha y una muda de ropa, ya que aún recelaba de volver a la pensión, sí al menos un afeitado y una revisión general de su indumentaria.

En una barbería gratamente anticuada y económica, en cuya fachada un letrero de azulejos anunciaba la novedad del masaje eléctrico, le dejaron las mejillas tan suaves y frescas como la piel de un niño y lograron devolverle a su tupé la ondulación adecuada, que muy pocos peluqueros de hoy en día consiguen. En los lavabos de una céntrica cafetería, dotados admirablemente de jabón Palmolive, toallas de papel y secador automático, se lavó a conciencia la cara y las manos, se enjuagó la boca con un pequeño frasco de Oraldine que por precaución lleva siempre consigo y corrigió lo mejor que pudo el desorden de su ropa. Reanimado, porque la limpieza personal lo vivifica, se concedió un opíparo desayuno a base de leche con Cola-Cao (él lo prefiere al café, que le daña los nervios) y de esos sustanciosos churros a los que en Madrid llaman porras, juzgándolos no inferiores a los que daban hace años en el tristemente desaparecido café Royal de Mágina.

Preguntando, suele decir él, se llega a Roma. En la cafetería, que estaba en la bella plaza de Santa Ana, a un costado del Teatro Español, le explicaron que la calle Postas no quedaba lejos, de modo que decidió ir andando, en parte por ahorrarse el importe de un taxi, y también por aclarar sus ideas durante la caminata. Era una mañana fresca, de una luz rubia y húmeda con tornasoles azulados, una mañana tranquila y solitaria de sábado, y Lorencito no tardó mucho en encontrarse en la plaza Mayor, que viene a ser, según cuenta, el corazón del viejo Madrid. Lo admiró su amplitud y la regularidad al mismo tiempo majestuosa y castiza de sus edificios y soportales, y al compararla mentalmente con nuestra plaza del General Orduña, o de Andalucía, esta última (a despecho de su acendrado patriotismo local, del que hay constancia fidedigna en casi treinta años de artículos para *Singladura*) le pareció pequeña y algo mezquina, una plaza de pueblo. Constató, sin embargo, con mirada de experto, que los establecimientos comerciales de Madrid, al menos los de aquella zona, eran mucho más rancios que los de Mágina, lo cual no dejó de sorprenderlo, devolviéndole una parte de su maltrecho orgullo: ¡tiendas con mostradores de madera y columnas de hierro, escaparates con postigos de cuarterones, letreros no de neón, como los de El Sistema Métrico, sino pintados sobre cristal con caligrafía decimonónica, maniquíes de hace cuarenta años, rústicos comercios de boinas, de alpargatas, de efectos militares, incluso cordelerías lóbregas! Mágina, pensó, será una ciudad provinciana, de acuerdo, pero su comercio es más moderno y dinámico que el de Madrid, no en vano se ha convertido en los últimos años en la capital económica de la comarca, incluso de toda la provincia... El cartel de una anacrónica sombrerería llamada Casa Yustas lo indignó: «*Exportación de gorras a provincias.*» ¿Se imaginaba esta gente que en los pueblos aún llevamos boinas caladas hasta las cejas, que andamos en burro y nos alimentamos de ajos y torreznos?

Pero ya estaba en la calle de Postas, que partía de uno de los arcos de la plaza Mayor. En la acera de la izquierda, a continuación de una tienda de lanas, vio, no sin estremecerse, los escaparates de El Universo de los Hábitos, casi tan amplios como los de El Sistema Métrico. Sin duda se trataba de un comercio importante, de un verdadero emporio en el ramo de la sastrería eclesiástica y los objetos de liturgia y de culto, que surtía por igual las demandas más tradicionales y las más recientes tendencias en la imaginería, el vestuario y la decoración religiosa. Había un maniquí de cuerpo entero con hábito de dominico y otro vestido audazmente de *clergyman*. Se superponían cortes de tela para las túnicas de innumerables cofradías, cada uno con una primorosa etiqueta escrita a mano, y en las vitrinas de cristal se mostraban objetos de culto de los más diversos y variopintos estilos, desde copones y sagrarios ricamente labrados a báculos de forma aerodinámica y crucifijos fluorescentes. En cuanto a las imágenes, Lorencito no había visto semejante abundancia y variedad de artículos ni en los departamentos mejor abastecidos de los almacenes Simago, que tuvo ocasión de visitar una vez en la capital de nuestra provincia. Cristos y Vírgenes de todas las formas y tamaños, Niños Jesús de todas las razas, apropiados para la introducción del culto en los países más remotos, santos que gozan actualmente de popularidad, como San Pancracio, Santa Gema y Santa Rita, y otros de veneración minoritaria o que casi ya no se encuentran en las iglesias ni en las hornacinas de las casas particulares, como Santa Clara, protectora de la televisión, San Francisco de Sales, de quien Lorencito es muy devoto por ser patrono de los periodistas católicos, Santa María Magdalena, abogada de las mujeres perdidas, San Doroteo de Capadocia, cuya oración alivia el dolor de hemorroides con una eficacia superior a la de los más avanzados analgésicos...

«Pero pasemos a la acción», se dijo Lorencito, para darse ánimos, porque no las tenía todas consigo. ¿Qué nuevos sobresaltos lo aguardaban tras el umbral de El Universo de los Hábitos? En el interior se oía una suave melodía de corte moderno: voces juveniles cantaban la nueva letra del Padrenuestro con la música de *Los sonidos del silencio*, detalle que a Lorencito le agradó. En ese momento un empleado le mostraba a una mujer con aire inequívoco de monja el funcionamiento de una maqueta luminosa de la basílica de Compostela: se oprimía un botón, brillaban luces intermitentes, sonaba una música de órgano, se abrían las puertas y aparecía en ellas la imagen del Apóstol. En un rapto de audacia, aprovechando que ni el empleado ni la monja habían reparado en su presencia, Lorencito se deslizó en dirección a la trastienda, entre anaqueles atestados de racimos de rosarios y figuras de santos. Un sexto sentido, quizás su olfato periodístico, contó después, *le decía algo*.

Una cortina daba paso a un caótico almacén muy poco iluminado. Tras una puerta entornada una voz hablaba por teléfono en tono iracundo. «Lo tenemos, vaya que si lo tenemos», decía la voz, «pero sin la guita por delante no hay entrega inmediata del *consumao*...» La voz se detuvo, luego sonó un puñetazo sobre una mesa y una interjección nada propia de un establecimiento religioso: «...Y lo de San Pantaleón que ni lo piense. O se dobla la tarifa o no hay trato. A ver si se figura que las medidas de seguridad son como las de una iglesia de pueblo...»

Lorencito no pudo seguir escuchando: en alguna parte, muy cerca, gimieron los goznes de una puerta, y unos pasos empezaban a aproximarse a él. Distinguió dos voces que hablaban con acento andaluz. Quiso huir hacia la salida, pero alguien descorrió en ese mismo instante la cortina que daba a la tienda, y Lorencito, sintiéndose atrapado, se ocultó tras una hilera de sotanas y vestiduras litúrgicas. Contenía la respiración y sudaba de miedo entre los espesos paños sacerdotales, que eran, por cierto, de una excelente calidad.

Pero las voces ya se alejaban, y alguien había apagado la luz del almacén. Abandonó a tientas su refugio, previendo con terror que se iba a quedar encerrado en la tienda todo el fin de semana. Tropezó con algo, cayó al suelo, palpó un aro metálico que parecía una argolla. Tiró de ella, levantando una pesada trampilla, reconoció a tientas unos peldaños metálicos. Providencialmente, llevaba una caja de fósforos, propaganda gratuita de la cafetería donde tomó el desayuno: encendió uno y alumbrándose con él bajó la escalera. Cuando el segundo fósforo ya le quemaba los dedos vio que había llegado a un sótano con el aire enrarecido y húmedo y el techo muy bajo. A la luz del tercero descubrió con un calambrazo de pavor que no estaba solo: erguido frente a él un hombre de pelo largo y túnica penitencial lo miraba, con los brazos inmóviles en una extraña postura. Pero no era un hombre vivo: era la imagen del Santo Cristo de la Greña.

Capítulo XVII

UNA CALUMNIA Y UN CADÁVER

El fósforo se apagó entre los dedos de Lorencito Quesada al mismo tiempo que sobre su cabeza se cerraba la trampilla. Quedó cercado por la oscuridad absoluta, por un silencio que él mismo calificó de sepulcral. La presencia, a su lado, del Santo Cristo de la Greña, más que confortarlo lo desasosegaba, porque aún no se le había pasado el susto de encontrarse de golpe frente a su cara lívida y melenuda. Subió a tientas los peldaños de hierro e intentó vanamente levantar la trampilla, primero con las manos, luego empujando con los hombros: estaba tan atrapado como bajo la losa de una tumba.

Lorencito propende a la claustrofobia. Las palmas carnosas de las manos empezaron a sudarle, y el temblorcillo en la punta del labio superior se volvió incontenible. No se movía, no se atrevió ni a encender otro fósforo. De un momento a otro los malhechores que utilizaban para la impunidad de sus insidias la tapadera de un comercio intachable alzarían la trampilla y muy probablemente acabarían con él igual que se remata a una liebre cogida en un cepo. *Sabía demasiado*, pensó: luego, recapacitando, llegó a la conclusión de que no sabía casi nada, tan sólo que en Madrid nada ni nadie es lo que parece ser, y que hay en ella más trampas y añagazas que en una película de chinos, nunca mejor dicho. ¿Lo matarían para vengar la muerte del sicario oriental, si es que estaba muerto, lo entregarían a las autoridades para sumirlo en la vergüenza y en la cárcel?

Lo raro era que tardaban mucho en llegar: sabiéndolo sin escapatoria, se complacían en la tortura psicológica. Como el devoto que enciende un cirio en una capilla para solicitar la intercesión divina Lorencito encendió un fósforo y miró muy de cerca la imagen serena y afligida del Cristo de la Greña, que más o menos era de su altura. No llevaba al hombro la cruz, y le faltaban todas las uñas de la mano derecha, una de las cuales, la del pulgar, tenía él aún guardada en su bote de lentillas. Intentó murmurar el *Señor mío Jesucristo*, pero de tan nervioso que estaba se le iban de la memoria las consoladoras palabras. Cuando ya sólo le quedaban tres o cuatro fósforos buscó algún interruptor por las paredes y los rincones del sótano, tropezando con muebles viejos y fardos, pero no había ninguno, aunque sí una bombilla empotrada en el techo, muy sucia y protegida por una malla de alambre. De vez en cuando se volvía descorazonado hacia el Santo Cristo de la Greña y le parecía que éste lo miraba con tristeza y resignación, como invitándolo a seguir su ejemplo de inmovilidad y no resistirse al cautiverio.

Escuchar pasos y ruido de cerrojos fue casi un alivio. Pensó, mirando la imagen venerada a la luz de su último fósforo, la corona de espinas que rodeaba su melena y le hería la frente: «Ya vienen los sayones», pero ni siquiera este pensamiento lo fortaleció. Al encenderse la luz eléctrica se cubrió la cara con las manos para protegerse los ojos doloridos. Volvió a abrirlos y ya estaban frente a él, apuntándolo con sendas pistolas, los dos flamencos alevosos, los llamados Bocarrape y Bimbollo, que ahora, en vez de fajas al cinto, botines con elástico y camisas bordadas, vestían trajes oscuros, con anchos brazaletes de luto, lo cual les daba un aire todavía más siniestro, y hacía que el Bimbollo pareciera aún más grande y Bocarrape más pequeño.

—Este señor nos estaba ya mamoneando más de la cuenta —dijo Bimbollo, con su lóbrega voz como de bodega gaditana.

—Otro listo —asintió Bocarrape, guiñando un ojo, tal vez el sano, porque el otro lo tenía enrojecido y húmedo—. Como el pobre Matías, que en paz descanse.

—*No zemo naide* —creyó entender Lorencito que decía Bimbollo, hundiendo en el pecho la roja papada, como en un gesto de aflicción: él y Bocarrape se persignaron.

—¿Ha muerto Matías Antequera? —dijo, conmocionado—. ¿Lo han matado ustedes?

—Muerto y matao —aclaró Bocarrape, como quien confirma tristemente un diagnóstico fatal.

—Por chota y por julai —dijo Bimbollo, pero la cara de ignorancia que puso Lorencito debió de sugerirle la necesidad de una explicación—. *Ozéaze*: por maricona y por chivato.

—No le faltes al difunto, Bimbollo —Bocarrape torció toda la cara al guiñar el otro ojo—. Que todavía lo tenemos en la capilla ardiente.

Algo en el gesto y en el tono de voz de Bocarrape indujo a Lorencito a volverse hacia la pared: en el suelo vio un fardo con el que había tropezado cuando buscaba el interruptor, y recordó que al caer sobre él había notado una sensación de blandura y un olor especial que sólo ahora identificaba: la colonia de nardos que solía usar Matías Antequera. Y el fardo era un saco de dormir con cierre relámpago, atado con varias vueltas de una cuerda de hábito...

Lorencito miró las pistolas de Bocarrape y del Bimbollo, temiendo que si se movía escupieran plomo contra él. Bocarrape alzó la suya, como autorizándolo a examinar el cadáver. Bajó unos centímetros la cremallera, y él, que después de escribir tantas crónicas de sucesos no ha visto nunca de cerca la cara de un muerto, se quedó casi tan pálido y tan rígido como el difunto Matías Antequera al reconocer sin la menor duda sus facciones, desfiguradas por la muerte, pero sobre todo por la ausencia del peluquín y del caracolillo. Su cráneo pelado tenía forma de calabaza, sus ojos abiertos estaban fijos en el techo, y aún conservaba el rímel en las pestañas y la larga línea de las cejas falsas un poco más arriba de las verdaderas, completamente depiladas.

—Sensible pérdida para la canción española —dijo una tercera voz—. Y más todavía para nuestra Mágina querida...

—Pepín —murmuró Lorencito con más desengaño que animadversión. Se había persignado antes de subir del todo la cremallera. Se acordó de que Julio César decía unas palabras en latín cuando lo iban a matar, pero no acertó a repetirlas. Pepín Godino estaba al pie de la escalera de hierro, entre Bimbollo y Bocarrape, sonriente, desarmado, hurgándose el interior de la oreja izquierda con la uña del meñique.

—Y dale con Pepín —se limpió discretamente el cerumen en un pañuelo con sus iniciales enlazadas que guardó después, doblándolo con mimo, en el bolsillo superior de su chaqueta—. Me estoy cansando de decirte que me llames Jota Jota. Al malogrado Matías le pasaba lo mismo que a ti. Lástima que no podamos leer en *Singladura* el estupendo artículo necrológico que tú escribirías sobre él: *Desde estas páginas expresamos nuestro más sentido pésame a la afligida madre del artista, y nos unimos al dolor de Mágina y de la gran familia de la canción española...* No es por asustarte, entrañable Quesada, pero el tema supervivencia lo tienes crudo.

—Vosotros lo habéis matado —dijo con valentía Lorencito—. No quiso ser cómplice del robo sacrílego y acabasteis con él. Parece mentira, Pepín, que tú, siendo de Mágina...

—¡Que no me llames Pepín, hostia! —a Pepín Godino le salió un rajado acento barriobajero y madrileño, y por unos segundos su cara fue la de un criminal. Pero rápidamente se tranquilizó, y ya parecía el Pepín bromista y dicharachero de siempre—. El tema, perdona que te lo diga, es un poco distinto. A Matías Antequera te lo has cargado tú...

La calumnia enardeció a Lorencito Quesada. Sacando fuerzas de flaqueza se arrojó como un tigre sobre el falsario Godino, pero Bocarrape, guiñando sucesivamente los dos ojos, le hincó la pistola en las mollas del costado, y Bimbollo se puso tras él y le retorció un brazo contra la espalda, inmovilizándolo.

—Como te iba diciendo, insigne Lorencito, ése es el tema, o el *quin* de la cuestión —Pepín Godino se limpió de la manga una mota de polvo—. En este mundo traidor, como yo digo, nada es verdad ni es mentira, pero mañana saldrá en los periódicos, incluso en *Singladura*, que no se entera de nada, una noticia luctuosa. Un cantante tronado y maricón y un dependiente de ínfima categoría (estarás de acuerdo conmigo, Quesada, en que no te ascienden en El Sistema Métrico desde que celebró el Caudillo los 25 Años de Paz) organizaron el robo y posterior venta en Madrid de la imagen más importante y valiosa de la Semana Santa de su pueblo, imagen no sólo de gran valor artístico, sino religioso, porque la adornan ciertas reliquias de un beato y mártir que, según se rumorea, no tardará mucho en ser canonizado, aprovechando la ocasión del Quinto Centenario del Descubrimiento de América, donde él realizó su tarea evangelizadora... ¿Me sigues, celebérrimo? Pero los dos cómplices, movidos por el importantísimo tema de la codicia, quiere decirse, por el reparto del botín, tienen una refriega. El dependiente, que es un crápula, que frecuentaba los antros más inmorales de Madrid, que no se detiene ante nada para satisfacer sus instintos (y aquí viene la prueba de la cinta de vídeo y de las huellas digitales en el cadáver de un inocente turista japonés), mata a traición a su cómplice, y luego, desesperado, acorralado, se tira desde el Viaducto, no sin dejar una confesión firmada de sus crímenes. Tema cerrado.

Sonriente, satisfecho de su discurso, Pepín Godino extrajo una cuartilla mecanografiada y una pluma Inoxcrom del interior de su chaqueta. Bocarrape guiñó un ojo y apoyó el cañón de la pistola en la sien de Lorencito.

—Pero ahora que lo pienso —Pepín Godino se guardó la pluma—. Será mejor que firmes con tu célebre Bic. Cuestión de detalle, como dice el anuncio...

Capítulo XVIII

CAUTIVO Y DESARMADO

Un esparadrapo le sellaba la boca, un cíngulo de hábito le mantenía las manos atadas a la espalda y le martirizaba las muñecas, un capuchón de penitente le cubría la cabeza, dificultándole la respiración por la nariz, otra cuerda más áspera le ataba los tobillos, y todo él era como un rudo embalaje tirado en la parte trasera de una ruinosa furgoneta que vibraba con un estrépito ensordecedor de chapas y junturas y con una pestilencia de gasolina que lo mareaba más aún pero que al menos borraba un luctuoso aroma de colonia de nardos. La cabeza encapuchada de Lorencito rebotaba contra una superficie de metal estriado, y a cada acelerón, frenazo o curva violenta todo su cuerpo rodaba chocando no sólo contra las paredes, sino con otro fardo que componía junto a él mismo lo que Bocarrape había llamado irrespetuosamente *el porte*, y en cuyo interior estaba, tan empaquetado como Lorencito Quesada, el cadáver insepulto de Matías Antequera.

Había firmado el papel que le presentó Pepín Godino como firmaría un condenado a muerte la notificación de su sentencia, despidiéndose de la vida por tercera o cuarta vez en menos de 24 horas, y notando que en la preparación para morir, como en tantas otras cosas, también se mejora con la práctica. Sintió en la nuca un dolor muy agudo que tomó por un balazo mortal y un reblandecimiento de sus miembros que tiraba hacia abajo de él como si el suelo lo chupara, *pero cuál no sería mi sorpresa*, dijo luego, al despertarse no en la ultratumba, ni convertido en ánima del Purgatorio o cuerpo astral, sino en el mismo sótano donde lo abatieron y tan de carne y hueso como entonces, no sabía cuándo, con un dolor espantoso en la nuca, con un moflete tumefacto y helado sobre el suelo de cemento y oyendo muy cerca las voces terrenales de Bocarrape y el Bimbollo, que conversaban con su característico gracejo andaluz.

—Yo pa mí que a éste lo has dejao interfecto.

—Mira tú, pues una cosa que ya tenemos hecha.

—¿Y el *rigor muerti* ése, como dice Jota Jota? Si está tieso cuando lo tiremos esta noche del Viaducto se lo conocen en la autopsia, y no cuela lo del suicidio.

—Pues yo le oigo el *vagío*.

—Átalo tú, que a mí me da escrúpulo.

Lorencito no se movía y procuraba respirar en silencio: que lo supusieran desmayado le concedía tal vez una modesta ventaja, pero mientras le ataban las manos y los pies y lo amordazaban haciendo chistes macabros sobre su próximo suicidio y hablando de sus cosas con un desahogo de transportistas chapuceros le era muy difícil contener la tentación y el instinto de la resistencia. El Bimbollo tiraba rudamente de él por la escalera metálica y Bocarrape lo sostenía por los pies maniatados, como en ese trono del Descendimiento que es de los más reputados de nuestra Semana Santa, y que en la imaginación fúnebre de Lorencito se confundía ahora con el del Santo Entierro. Jadeando y maldiciendo lo arrastraron hacia lo que debía de ser un almacén o un garaje, donde lo dejaron caer como a un saco de barro. Si no es porque el esparadrapo le sellaba la boca Lorencito habría proferido un grito de dolor.

—¿Y el santo? —dijo Bocarrape—. ¿Habrán ido ya a entregarlo?

—Yo pa mí que lo guardan en el Rastro hasta que el tío gordo suelte la manteca.

—Como que está el mundo pa fiarse de naide.

—Y que lo digas, Bocarrape —y Bimbollo rompió a cantar por fandangos:

Cada uno va a lo suyo,
ya no existe humanidad.
Nos tratamos con orgullo
sin pensar en la amistad.

—Pues el parque móvil a ver si lo renuevan —dijo Bocarrape: las puertas de la furgoneta sonaban a latones viejos, y un poco después Lorencito tuvo ocasión de comprobar, a costa de sus quebrantados huesos, que el estado de la suspensión y de los frenos era tan achacoso como el de la carrocería. Todo temblaba y crujía en torno suyo. Rodaba de un lado a otro como un fardo mal estibado en la bodega de un buque al que sacude una tormenta. (Esta comparación marítima se le ocurrió algún tiempo después, y le gustó tanto que la anotó en seguida en su cuaderno, al objeto de usarla, Dios mediante, en la narración de su aventura.) Tuvo algo de alivio cuando la furgoneta abandonó las calles desiguales y estrechas del casco viejo de Madrid y aumentó poco a poco la velocidad por lo que parecía una avenida muy larga, bien asfaltada, rugiente de motores y claxons. Oía el petardeo del tubo de escape y se ahogaba oliendo a gasolina mal quemada bajo el capuchón de penitente. Pateaba en el aire con los pies atados, caía boca abajo, lograba ponerse de rodillas y un frenazo o un acelerón lo aplastaban de nuevo contra la chapa vibrante, cuando no contra el cuerpo ya rígido de Matías Antequera.

Apocado como es, y extremadamente torpe para las dificultades manuales, ni siquiera intentaba desprenderse de sus ligaduras, suponiéndolas tan imposibles de deshacer como el famoso nudo gordiano de la mitología. De modo que fue obra de la casualidad, o de la Providencia, y no mérito ni destreza suya (él, paladinamente, así lo reconoce) que en uno de aquellos virulentos vaivenes, que lo dejó en posición de decúbito prono, se le soltara casi del todo la mano derecha, circunstancia salvadora en la que sin embargo tardó en reparar, ya que tenía el cuerpo entero abotargado y tundido y las manos tan insensibles como corcho. Los dedos apenas le respondían, pero no le costó mucho librarse del cíngulo porque se escurría fácilmente sobre la piel blanda y sudada. Respiró codiciosamente al quitarse la capucha, estuvo a punto de desmayarse otra vez cuando se arrancó de un tirón el esparadrapo, pero lo más laborioso de todo fue desatarse los pies, dado que no contaba con el auxilio de las uñas, pues tiene, y también lo reconoce, la fea costumbre de mordérselas, y sus chatos dedos, de almohadilladas falanges, carecen de la habilidad y de la fuerza precisas para desatar cualquier nudo que no sea el de los pequeños paquetes de tocinillos de cielo que compra puntualmente cada domingo, a la salida de misa, en la acreditada pastelería de don Lope.

Logró soltarse, sin embargo, maravillándose de las facultades que el riesgo de perder la vida despierta en un hombre. Y estaba empezando a pensar que incluso con las manos libres su situación no era menos desesperada cuando la furgoneta dio un brutal acelerón, seguido por un escándalo de cláxones, y antes de que se diera cuenta fue despedido contra las portezuelas posteriores por las inapelables leyes de la inercia, y su cuerpo nada liviano, actuando como un ariete, golpeó y rompió con la fuerza de un bólido las ya maltratadas cerraduras. Durante menos de un segundo Lorencito Quesada sintió que volaba como empujado por un vendaval, después rodó sobre una áspera gravilla que le desollaba la cara y las palmas de las manos mientras pasaban vertiginosamente a su lado relámpagos de metal, silbidos de viento y bocinazos y motores de coches.

Había caído en el arcén de una autopista, y tan sólo por unos centímetros se había librado de que lo arrollaran las ruedas tremendas de un camión. Cuando abrió los ojos, a gatas sobre la gravilla que le laceraba las palmas de las manos, ya no pudo ver la furgoneta de sus raptores. Al pasar junto a él a una velocidad de catástrofe los camiones soltaban pitidos tan poderosos como sirenas de barcos que le retumbaban en el estómago, y el viento que los seguía casi lo tiraba de espaldas hacia la cuneta. Apenas podía sostenerse en pie, y tenía el cuerpo entero tan magullado que el menor movimiento, hasta el de la respiración, le costaba suspiros quejumbrosos. Un náufrago que vuelve en sí en una playa desierta y batida por las olas no habría estado más perdido que él: se vio en medio de un paraje de vertederos y desmontes que parecía prolongarse indefinidamente a ambos lados de la autopista, sin una casa ni un árbol, un páramo estéril y como aplastado bajo la extensión luminosa del cielo. Junto a él había un puente inmenso de hormigón sobre el que discurría otra autopista, y de cuya baranda colgaba un letrero azul con indicaciones y flechas que a Lorencito le resultaron incomprensibles: *M-40 Sur*.

En Madrid lo desconsolaba sentirse tan lejos de Mágina: en aquel arcén, junto a los pilares del puente y la marea del tráfico, rodeado por terraplenes y zanjas de tierra ocre en los que aún se veían las huellas colosales de las excavadoras, se sintió no ya lejos de su añorada Mágina, sino a una distancia insalvable de cualquier otro lugar habitado del mundo. Sin la menor idea de hacia dónde iba echó a andar, apartándose de la autopista, por una ladera de tierra suelta y polvorienta en la que se le hundían los pies. En su cima pelada había un gran cartel publicitario con una sola frase: *Bienvenidos a Madrid, capital europea de la cultura*. El viento silbaba entre las armazones metálicas que lo sostenían, como en los pueblos fantasmas que aparecen con tanta frecuencia en las películas hispanoitalianas del Oeste. Desde lo alto del cerro vio muy lejos el perfil azulado de los edificios de Madrid, borroso por las columnas de humo pestilente que venían de un muladar tan vasto como una cordillera. Demasiado tarde advirtió Lorencito que aquél no era un desierto inhabitado: a sus pies se extendía una miserable población de chabolas, y sin que él se hubiera dado cuenta unas figuras tan lentas y pálidas como muertos en vida lo estaban rodeando.

Capítulo XIX

EL ARRABAL DE LOS MUERTOS VIVIENTES

Le faltaban las fuerzas para intentar otra huida, las fuerzas y las ganas, y además estaba prácticamente cojo, y mareado, y desorientado, y hambriento, y su aspecto general no debía de ser mucho menos lastimoso que el de aquellas siluetas de hombres o de mujeres que erraban entre los montones de tierra, de escombros, de basuras humeantes, siluetas flacas y extenuadas como las que veía la noche anterior por las calles del centro de Madrid, más desarboladas ahora, a la luz cruenta del día, menos amenazantes, con pantalones vaqueros, con viejas zapatillas de deporte, con los brazos huesudos y pálidos, con las habituales bolsas de plástico llenas de desperdicios en las manos, con las cabezas bajas, arrastrando los pies, pasando a su lado sin verlo, con los ojos fijos y vidriosos, como en aquella película de los muertos vivientes, vestidos con sucios harapos, como los leprosos en el lazareto de *Ben-Hur*: de lejos no se distinguían los hombres de las mujeres, y cuando se acercaban no podía saberse si eran viejos o jóvenes, porque caminaban tan encorvados como ancianos, pero algunos llevaban cabellos largos, cazadoras de cuero, camisetas con dibujos psicodélicos. Se recostaban contra alguna pared en ruinas, se sentaban en círculos junto a un arroyo de aguas sucias, entre papeles de periódicos y desechos de plástico, y Lorencito observó que prendían mecheros y calentaban con la llama exangüe una sustancia marrón sobre trozos arrugados de papel de plata, y que luego se ataban al codo una goma o una cuerda que mantenían tensa mordiéndola por un extremo y se administraban inyecciones con mano temblorosa, no sólo en los brazos, sino también en las venas descarnadas del cuello, en los muslos, junto a los tobillos.

El humo hediondo de las basuras quemadas le irritaba los ojos, y conforme se iba acercando a las chabolas oía una confusión de gritos infantiles, músicas emitidas por enormes radiocassettes y sintonías de programas y anuncios de la televisión. Sobre los tejados de cartones y de chapas brillaba al sol un bosque metálico de antenas, algunas de ellas parabólicas, y por las calles desiguales y polvorientas, trazadas al azar o al antojo de sus pobladores cimarrones, corrían niños desnudos, de piel oscura y barriga hinchada, como en los documentales misioneros sobre el África negra. En las puertas de las chabolas permanecían sentadas, con la costura o el rosario en el regazo, gitanas viejas con refajos de luto y pañolones negros a la cabeza, algunos de ellos ceñidos por los auriculares de un *walkman*, y del interior venían gritos destemplados de mujeres y atronadoras voces y melodías de los mismos seriales sudamericanos a los que tan aficionada es la madre de Lorencito.

Se acordó de los arrabales de Mágina de hace treinta años, de las casuchas insalubres que había en la calle Cotrina y en la Redonda de Miradores: más de una vez, él mismo los había visitado en su juventud, cuando militaba en Caritas, en los grupos parroquiales de apostolado social a domicilio: pero entonces no había en las barriadas humildes electrodomésticos tan grandes como aparadores, ni antenas de televisión, ni relucientes automóviles de lujo aparcados inexplicablemente en las puertas de las chabolas, mezclados con los montones de desperdicios, con las carrocerías de coches abandonados o quemados, sin cristales, sin neumáticos, con las tapicerías reventadas, habitados a veces por despojos humanos que yacían entre la chatarra con los ojos turbios y los brazos amarillentos y manchados de sangre.

El miedo se le había olvidado: lo sustituía la sensación de haberse vuelto invisible. Los muertos y las muertas vivientes que surgían de los desmontes como si brotaran de la tierra se rozaban con él sin que sus ojos alucinados y brillantes lo vieran y entraban encorvándose en el interior de las chabolas, apretando billetes sudados de mil pesetas en las manos, y salían un minuto después con un paso más vivo y un aire de furtiva avidez. Lo seguían niños desnudos y perros famélicos: los perros le ladraban, los niños le gritaban insultos nada propios de sus voces infantiles o se arracimaban en torno suyo jugando a que lo asaltaban con un trozo herrumbroso de tubería o pidiéndole limosna. Luego, inopinadamente, se volvían atrás para tirarle desde lejos terrones secos o bolas de excrementos.

Había llegado al final de las chabolas: más allá, al otro lado de la autopista, se veía una línea de árboles escuálidos y una colonia en construcción de chalets adosados. Milagrosamente, su reloj digital continuaba funcionando, lo cual constituía una prueba nada desdeñable de la perfección de la industria relojera japonesa: eran las dieciocho treinta y tres, el sol empezaba a volverse rojizo en la llanura del oeste, sobre los chalets de ladrillo y los cerros estériles. Bocarrape y Bimbollo ya habrían descubierto su fuga, Pepín Godino ya estaría tramando otra manera de involucrarlo en el asesinato de Matías Antequera, con la ayuda inestimable de la confesión que tan cobardemente él había firmado. Incluso era posible que la policía lo estuviera buscando como sospechoso de la muerte del sicario oriental...

Le entró de golpe toda la pena que solía afligirlo los sábados por la tarde, arreciada por la desolación del lugar donde estaba y por el espectáculo, desconocido hasta entonces, de una miseria degradada y febril. Pensó que el Domund, en cuyas cuestaciones había participado tantas veces cuando era más joven, venciendo su timidez para apostarse en la plaza del General Orduña con una hucha de porcelana en forma de cabeza de negro o de chinito, debía celebrarse no en beneficio de las tribus paganas de África ni para remediar el hambre crónica en la India, sino con la imperiosa finalidad de darles una vida digna a nuestros compatriotas más necesitados. Imaginó el titular de un valiente artículo de denuncia que escribiría para *Singladura* en cuanto regresara a Mágina, si es que regresaba vivo: *El Tercer Mundo, entre nosotros*. Y como cada vez que le viene el gusanillo de la vocación periodística se abstrae de lo que tiene alrededor, y ya no piensa sino en la emoción de ver su nombre y sus palabras en una página impresa —es el mezquino reproche que suele hacerle el jefe de personal de El Sistema Métrico—, no oyó las sirenas que se acercaban ni vio los coches y furgones de la Policía que abandonaban la autopista con espectaculares chirridos de neumáticos y subían hacia las chabolas dando saltos sobre las zanjas y los montones de basura como lanchas motoras en un mar embravecido.

«Vienen por mí», pensó al verlos: sobre los coches blancos y azules y los furgones celulares que rodearon instantáneamente el poblado centelleaban luces giratorias, y de las portezuelas abiertas con violencia salían policías de paisano con gafas de sol, cazadoras y revólveres que echaban a correr hacia los muertos vivientes, y también guardias de uniforme, con gorras de visera, chalecos antibalas y largos fusiles terminados en botes de humo o en dispositivos para el lanzamiento de pelotas de goma.

Las apacibles ancianas enlutadas perdieron su inmovilidad y se desgañitaban gritando: «¡Agua! ¡Agua!» Los perros sarnosos ladraban con furia unánime y los niños lanzaban sus proyectiles pestilentes contra los policías, que avanzaban en un frente curvo hacia las chabolas y se protegían levantando escudos de plástico transparente sobre sus cabezas. Los ladridos, los gritos, los disparos, el estampido de las pelotas de goma y de los botes de humo se confundían con las rumbas flamencas y con las canciones de la televisión en una algarabía que Lorencito definió después como ensordecedora, y cuya única víctima tangible parecía ser él, pues fue acertado, sucesivamente, por una boñiga, que le dio en la cara, por una pelota de goma que lo golpeó exactamente en la boca del estómago, por el zurriago negro de un guardia, por una lata machacada de cerveza cuyo contenido, caliente como orines, le bañó la nariz y los ojos.

Un policía con la visera del casco levantada sobre la cara como un morrión lo perseguía esgrimiendo sobre su cabeza una pértiga de caucho, y le habría medido las espaldas de no ser porque en su ceguera tropezó con una muchacha de pelo tieso y sienes rapadas que gateaba sobre un charco de cieno llevando hincada todavía una aguja hipodérmica en el antebrazo: mientras Lorencito escapaba, el policía reparó en ella, prorrumpió en maldiciones y no cesó de golpearla hasta que un compañero suyo, de paisano, le gritó: «¡Cuidado, idiota, que viene el juez y te va a empapelar por malos tratos!» Mujeres gordas y greñudas chillaban en las puertas de las chabolas y tiraban certeramente contra los policías los más variopintos proyectiles: macetas, santos de escayola, platos de macarrones con tomate, guijarros que se cruzaban silbando con las pelotas de goma, ladrillos rotos, botellas de cerveza. Los muertos vivientes deambulaban impávidos entre los disparos y las humaredas, caían al suelo como muñecos de trapo cuando los golpeaban, ascendían con lentitud de quelonios por las laderas agrietadas de tierra sin abandonar nunca sus miserables bolsas de plástico.

«¡El gordo de la corbata, que se naja!», oyó gritar Lorencito a su espalda: había escalado afanosamente un terraplén, y un par de guardias, desde abajo, apuntaban contra él sus fusiles. Los botes de humo y las pelotas de goma lo rozaron cuando echó cuerpo a tierra, y bajó rodando hasta el arcén de la autopista, donde había una parada de autobús. Las siluetas armadas y los cascos relucientes de los guardias aparecieron en lo alto del cerro al mismo tiempo que el autobús frenaba junto a él. Lorencito subió sacudiéndose la ropa, intentando en vano sonreírle con dignidad al conductor.

Capítulo XX

ASESINATO EN LA GRAN VÍA

«No le dará vergüenza, a su edad», masculló despectivamente el conductor del autobús tras la mampara blindada que lo protegía, entregándole el billete y el cambio a Lorencito a través de una ventanilla con refuerzos metálicos, como las de los bancos, sobre la que había un pequeño cartel: *¡Atención! ¡El conductor no tiene llave de la caja!* Y la verdad era, pensó con aprensión nuestro afligido héroe, que cualquiera de los usuarios que ocupaban en ese momento el autobús podía ser un atracador en potencia, si no un taimado carterista, o un vándalo incendiario: eran, casi todos, muy jóvenes; largas melenas sucias les caían por los hombros y les tapaban las caras, de modo que resultaba difícil distinguirlos por el sexo, teniendo en cuenta además la uniformidad de sus indumentarias y el aterrador salvajismo de sus modales. Vestían ceñidas camisetas negras con dibujos espantosos de calaveras, monstruos y cuerpos despedazados y vísceras sangrientas, vaqueros ajustados a los tobillos y botas de baloncesto, y bramaban repitiendo una música de estridencias metálicas y gritos de agonía o de terror que brotaba de varios radiocassettes hiriendo los tímpanos con la contundencia de una aserradora y haciendo temblar los cristales del autobús.

Por prudencia, Lorencito ocupó un asiento vacío absteniéndose de mirar a sus indeseables compañeros de viaje y procuró fijar su atención en la carretera y en los arrabales de Madrid que se deslizaban al atardecer tras la ventanilla. Palpaba sigilosamente su cartera, se preguntaba de cuánto dinero disponía aún, cuándo fue la última vez que había comido: hacía una eternidad, esa misma mañana, antes de que se desencadenaran los acontecimientos que habían estado a punto de acabar no ya con su búsqueda del Santo Cristo de la Greña, sino con su zarandeada vida... A su espalda, muy cerca de él, en el asiento posterior, oyó un ruido espantoso, seguido por una vaharada de hedor a cerveza que le humedeció el cogote. No quiso volverse: uno de aquellos bárbaros le había lanzado un eructo tan resonante como un trueno, y los demás rompieron a reír y debieron de animarse con el ejemplo, porque al eructo, como al primer estallido de una tormenta, le sucedieron otros, cada vez más brutales, así como un trompeteo de ventosidades y regurgitaciones que casi amortiguaban el estrépito de los radiocassettes. Lorencito ha sido siempre partidario de la espontaneidad de los jóvenes, que no tiene que estar reñida con la buena educación, pero las libertades que aquéllos se tomaban ya estaban empezando a parecerle excesivas: observó, de soslayo, que el autobús se había dividido en dos bandos, y que después de la competición de los eructos, en la que participaban por igual los jóvenes de ambos sexos, se estableció otra de escupitajos a chorro de cerveza, bebida por la que todos manifestaban una preferencia unánime, pues la ingerían con entusiasmo en botellas de litro que una vez agotadas rompían contra los asientos, sin que el conductor del autobús, encastillado tras su blindaje, pareciera darse cuenta de nada.

Ante el peligro, también Lorencito, como el avestruz, escondía la cabeza debajo del ala. ¡Aquellos bárbaros, hastiados de los eructos y las ventosidades, ahora habían emprendido un concurso, por llamarlo de algún modo, de expectoraciones, para el que no debía de faltarles materia prima, porque fumaban como carreteros, a pesar de los carteles de prohibido fumar que había por todas partes, aunque también es cierto que a causa de la densidad del humo apenas resultaban visibles! «No hay autoridad», pensó sombríamente, acordándose de la caída del Imperio romano, de la que tenía noticia por una película de Sofía Loren, en la que bárbaros desaseados y greñudos se embriagan de cerveza y adoran a divinidades monstruosas, «se ha perdido la educación, el respeto». Los vaticinios lúgubres que expresaban sus cofrades más ancianos en las reuniones de la Adoración Nocturna, que solían terminar en añoranzas melancólicas de la paz de Franco y de la liturgia en latín, ahora le parecían exactos, incluso menos apocalípticos que la realidad.

Una expectoración (o, para decirlo en términos que él jamás osará escribir: un lapo) había pasado velozmente junto a su nariz, estampándose, amarillenta y cremosa, en el cristal de su ventanilla. Consideró que aquella era la gota que colmaba el vaso de su paciencia: sin preguntarle al conductor dónde estaban, decidió bajarse en la próxima parada, y al abandonar su asiento, con la mirada en el suelo, que era un charco de cerveza derramada, colillas y orines, no dejó de observar que una pareja, de sexo indefinible por la longitud de sus melenas, se abrazaba con espasmos de cópula al otro lado del pasillo, emitiendo jadeos que los demás bárbaros coreaban con palmadas de simios y ruidos de deglución.

Limpiándose de la solapa un certero chorro de saliva Lorencito bajó del autobús. Le pareció mentira encontrarse otra vez relativamente sano y salvo en el centro mismo de Madrid, en la famosa plaza de Callao, que reconoció en seguida por la silueta admirable del Palacio de la Prensa y de las delgadas torres de ladrillo de Galerías Preciados. Andaba hecho una lástima, cojeando, con todo el cuerpo dolorido y la ropa sucia y en desorden, con sus sólidos zapatos de suela de tocino manchados de excrementos y de barro, pero ya contaba con la seguridad de que en Madrid nadie se vuelve para mirarlo a uno por muy desastroso o extravagante que vaya, y si se comparaba con no pocos transeúntes de los que pedían limosna o cosechaban desperdicios su aspecto aún seguía siendo casi respetable. Recién llegada la noche del sábado, Madrid resplandecía como un ascua luminosa en la oscuridad: brillaban los escaparates de las tiendas y de las modernas cafeterías con terrazas, los anuncios azules y rojos sobre los edificios, las marquesinas de los cines con vestíbulos de espejos y carteles de películas que alcanzaban una altura de varios pisos. Alrededor de la fachada de una sala de fiestas se encendían y se apagaban como bengalas hileras de bombillas, y la imponente silueta de cartón de una mulata vestida con sucintos atavíos tropicales se erguía soberbiamente contra el cielo azul oscuro y liso.

Las carrocerías de los coches reflejaban como espejos curvos los destellos de los semáforos y de los anuncios luminosos. Una multitud endomingada y jovial hormigueaba por las aceras espesándose junto a las taquillas de los cines e inundando las terrazas y los grandes salones de las cafeterías. Alucinado por el cansancio, el hambre y la soledad, por el espectáculo inagotable de las caras y las voces de la gente, sobre todo de las mujeres, que llevaban trajes ceñidos, medias oscuras y melenas al viento, Lorencito se dejaba derivar Gran Vía abajo como si un río lo empujara. Su propia identidad, su modesta persona, su vida, le parecían ahora tan irrelevantes como las de un insecto, y por momentos se sentía como si hubiera perdido para siempre el norte de su viaje a Madrid y hasta sus recuerdos de Mágina.

Pero en el autobús se había trazado un plan y estaba dispuesto a seguirlo, aprovechando la casualidad de haber llegado a la Gran Vía, donde estaba la oficina de *management* del fementido y desleal Pepín Godino: aun con grave riesgo de su vida, Lorencito iría a visitarlo y le cantaría las cuarenta, exigiéndole —con amenazas si era preciso, ya nada iba a detenerlo, tampoco él tendría escrúpulos— la devolución inmediata de la imagen del Santo Cristo de la Greña, abochornándolo, en los más duros términos, por su traición, pues de eso se trataba, de una vergonzosa traición no ya a él, Lorencito, que siempre lo distinguió con su amistad, y ni siquiera a la Semana Santa y a la fe católica, sino a la misma Mágina, a la ciudad, pequeña, pero heroica, según declaran su escudo y su himno, en la que los dos se habían criado.

La oficina de Pepín Godino, constató Lorencito en su tarjeta, estaba en el número 64 de la Gran Vía, en un edificio como de catorce pisos terminado por dos torreones con graciosas cúpulas de estilo morisco: mirar hacia lo alto lo mareó más aún que cuando mira desde muy cerca el reloj de la plaza del General Orduña y le parece que la torre se está inclinando hacia él. Pero era el hambre y no el vértigo lo que más lo mareaba. Por fortuna, en las inmediaciones había un bar de tamaño catedralicio y escaparates grandiosos que se llamaba El Museo del Jamón, y cuyos techos y paredes, decorados con admirables hileras de jamones, brillantes de grasa bajo la luz eléctrica, hacían cumplidamente honor a su nombre. El olor y la visión de las lonchas rojas y de las jarras de cerveza chorreantes de espuma embriagaron a Lorencito: se dijo una vez más que sin el estómago lleno un hombre no vale para nada. Y vigilando la calle desde la esquina de la barra, por si veía entrar o salir a Godino, se permitió un hartazgo de bocadillos de jamón y de cerveza, culminado por media ración de chorizo picante en aceite que ya entraba de lleno en el vicio de la gula y lo dejó soñoliento, algo beodo y sudoroso, pero dispuesto animosamente a afrontar, se dijo, cualquier contingencia que se le presentara.

El despacho de Pepín Godino estaba en el piso décimo: subió en un lento ascensor con celosías y filigranas de hierro, y como iba solo no se avergonzó demasiado de emitir una disculpable flatulencia. Salió a un corredor con el suelo de mármol y puertas numeradas de cristal escarchado. Había, al fondo, una sola luz encendida. *J. J. Godino, infraestructura de espectáculos*, leyó en un cartel chapuceramente escrito a mano. Giró el pomo y la puerta se abrió: frente a él, tendido en un sofá de plástico verde, Pepín Godino respiraba con los ojos cerrados y la boca húmeda y abierta, con la camisa empapada de sangre.

Capítulo XXI

LA CONFESIÓN DE UN RÉPROBO

Para describir el estado de aquella diminuta oficina Lorencito Quesada vaciló después entre los adjetivos *dantesco* y *kafkiano*, que ni siquiera unidos expresarían a su juicio la virulencia del desastre en medio del cual agonizaba lentamente Pepín Godino, desangrándose por una herida de arma blanca que le interesaba el paquete intestinal, según pudo colegir Lorencito por la manera en que nuestro paisano se sujetaba el bajo vientre emitiendo ayes lastimeros y palabras febriles. Una mesa metálica de color gris, tipo Roneo, estaba volcada en el suelo, y el cristal que antes la cubría era una catástrofe de esquirlas mezcladas con el contenido caótico de los cajones, en el que abundaban hojas de archivador desgarradas, fichas de cartón con fotografías de artistas, rotuladores pisoteados y revistas eróticas gastadas por el uso. El papel de las paredes también había sido arrancado como por garras furibundas de fieras. Sólo quedaba la mitad de un cartel promocional de Matías Antequera, en el que

Lorencito leyó el celebrado eslogan del artista —*Soy de Mágina*— y otro, casi entero, aunque manchado de sangre, que anunciaba el espectáculo musical *Sin bragas y a lo loco*, que hizo época en el Ideal Cinema de nuestra ciudad una o dos temporadas después de la muerte de Franco, con gran escándalo de las autoridades eclesiásticas.

Hasta el linóleo del suelo había sido levantado, y una navaja tan aguda como la que hirió a Godino había destripado el sofá donde éste yacía, esparciendo alrededor del moribundo un amasijo de gomaespuma amarilla y empapada de sangre. El mendaz secretario del Hogar de Mágina en Madrid boqueaba delirante, y aunque al oír que alguien se acercaba había abierto de par en par los ojos, Lorencito no estaba seguro de que lo hubiera reconocido.

—Viva Mágina —decía—. Viva Mágina y su Patrona. Viva la Virgen del Gavellar. Viva la quinta del sesenta y cuatro…

—Pepín —Lorencito le levantó de la cabeza, que ya le colgaba al filo del sofá, y se la acomodó en el respaldo—. Soy yo, Quesada, el de El Sistema Métrico, el de la calle Lagarto.

Godino negaba con ademanes aterrorizados y violentos, como si sufriera una pesadilla. Sus dos manos ensangrentadas apresaron los mofletes de Lorencito. Había empezado a cantar con una voz muy ronca, interrumpida por ahogos y borbotones de babas y de sangre:

—Mágina, noble ciudad
te puedes llamar hermosa
por tu bonita estación
y tu explanada espaciosa.

—¡El de *Singladura*! —insistió Lorencito, desesperando ya de que Godino lo reconociera antes de morir—. ¡El vicesecretario de la Adoración Nocturna!

—Viva la muy noble, la muy heroica y leal ciudad de Mágina... Viva la Semana Santa... Viva Mágina católica...

—¡Viva! —Lorencito no pudo menos que secundarlo en sus exclamaciones desmayadas, por un reflejo involuntario de patriotismo. En un rincón de la oficina había un pequeño lavabo: mojó en agua fría su pañuelo y se lo pasó a Godino por la cara, limpiándole la sangre. La boca ávida del agonizante agradeció las gotas de lo que Lorencito suele llamar, cuando le hace falta un sinónimo de agua, *el preciado líquido*: Godino pareció revivir, incluso recuperó la lucidez durante unos segundos.

—Quesada entrañable —y atrajo por el cuello a Lorencito, hasta humillarle la cara sobre su pecho palpitante—. Me muero, me muero sin confesión, sin recibir los sacramentos ni la bendición de su Santidad... Confiésame tú, que seguro que puedes.

—¡Pecador de mí! —exclamó Lorencito—. Si no vas a morirte, Pepín, si todavía has de ver muchos jueves santos.

Pepín Godino se irguió en el sofá, miró a Lorencito con pupilas de loco, soltó una carcajada demoníaca antes de desplomarse de nuevo:

—Tres jueves hay en el año
que relucen más que el sol:
Jueves Santo, Corpus Christi
y el día de la Ascensión.

—Dime quién te ha atacado, Pepín —Lorencito lo sacudía queriendo reanimarlo, porque la mirada se le iba y entre la raya de los párpados sólo se le veía el blanco de los ojos.

—¡No me llames Pepín! —con furia súbita Godino abrió los ojos—. Me han matado, me han engañado, pero no han conseguido que se lo diga…

—Bueno, Jota Jota —Lorencito le habló suavemente, inclinado sobre él, sin preocuparse ya de que la ropa se le manchara de sangre: tampoco Cristo tuvo miedo de tocar al leproso—. Yo no soy quién para prometerte el perdón divino, pero al menos podrás salvar tu honra… ¿Y si voy a buscar a un sacerdote, o a un médico?

Miró el teléfono, negro y anticuado, que estaba en el suelo: habían arrancado el cable. Godino se abrazó a él tiritando, por miedo a que se fuera. La uña del meñique se le hincaba a Lorencito en el cuello.

—No les he dicho nada —le murmuró al oído—. Acuérdate de Santo Domingo Savio… ¿A que tú eres también antiguo alumno salesiano? —Y de nuevo cantaba un himno que emocionó a Lorencito, quien efectivamente guarda un recuerdo imborrable de los padres salesianos—: *¡Antes morir mil veces que pecar…!* El tío sátrapa de la Torre Picasso cree que puede conseguirlo todo y engañar a todo el mundo, pero lo que es con Jota Jota Godino ha pinchado en hueso… Bien claro se lo dije a sus matones: sin toda la guita por delante Jota Jota no suelta el *consumao*… Pero ya ni guita ni nada, ni sangre de San Pantaleón, y si es la llave, en el fondo del mar, como dice la copla…

—¿Qué llave? —Lorencito no entendía nada—. ¿Qué es eso del consumao, y del sátrapa?

—Que les diera la llave —Godino respiraba ahora con una tos seca que por momentos se parecía a la risa de un tísico—. Que les dijera dónde lo había escondido y les entregara la llave. Hasta en verso se lo dije: «Jota Jota no se derrota.» ¿No sois tan listos? Pues venga, id buscando. Que si quieres arroz, Catalina... ¿No te acuerdas, Quesada? ¿No te acuerdas de cuando el Mágina subió a Tercera Regional, grupo B? Tú lo escribiste en el periódico: las gradas se caían de aplausos...

Otra vez Pepín Godino deliraba, volvía a dar vivas languidecientes a la Virgen del Gavellar, al Mágina C.F., a la sección de la Guardia Civil que escolta cada Viernes Santo, con los fusiles invertidos, al Cristo de la Expiración, se le dilataban las aletas de la nariz como si olfateara el incienso de los pebeteros del trono. Y mientras tanto no paraba de agitar ante la cara de Lorencito el dedo meñique de su mano derecha, y de felicitarse con lúgubre alegría porque sus innominados enemigos no habían encontrado cierta llave de la que seguía sin explicar nada. En uno de aquellos sobresaltos la uña prodigiosa estuvo a punto de clavársele a Lorencito en un ojo, y fue entonces cuando éste observó que la cubría una funda de plástico...

—Te has dado cuenta, ¿verdad? —exclamó Pepín Godino—. Paisano mío tenías que ser. Quítame la funda, Quesada insigne, coge el llavín, vete mañana mismo a las Galerías Piquer y llévate a Mágina el Santo Cristo de la Greña... Pero no confíes en nadie, depositalo tú mismo en el Salvador, y rézale por mí, que voy a condenarme...

No sin escrúpulo Lorencito desprendió del meñique de Godino la uña postiza, y extrajo de ella una llave tan pequeña que apenas podía sujetarla entre los dedos.

«Último piso», murmuraba Godino, «almacén cuatro dos uno». Pero ya le faltaba el aire, se le estaban quedando los ojos en blanco, su cara adquiría una palidez marfileña, la hemorragia encharcaba la gomaespuma del sofá. Le pedía ansiosamente perdón a Lorencito Quesada, le decía que se salvara, que se fuera cuanto antes a Mágina, le entraba el miedo a morir solo y se aferraba a las solapas de su chaqueta, le rogaba que encendiera la luz, porque no veía nada.

—No te rindas, Pepín, que no vas a morirte —dijo Lorencito, pero acto seguido comenzó una oración.

—Por lo que más quieras, no me llames Pepín...

Pepín Godino cayó pesadamente hacia atrás, y sus dos manos siguieron asidas como garfios a las solapas de Lorencito: había muerto en paz, con los ojos cerrados.

De pie ante él, Lorencito concluyó la oración, santiguándose varias veces. Apagó la luz, cerró con cuidado la puerta de la oficina, se alejó por el pasillo guiándose por la luz del ascensor. Al llegar a la acera la animación de la Gran Vía le pareció sacrílega, indiferente a su dolor. Abrumado, sin fuerzas, se dejó caer en un banco, junto a una mujer que hablaba sola con aspavientos de epiléptica, y se tapó la cara con las manos, apoyando los codos en las rodillas desfallecidas. Una voz familiar le hizo abrir los ojos.

—Venga conmigo —le decía la bailaora rubia, pero no estaba seguro de que no fuera un sueño—. Está muy cansado. No puede quedarse aquí. Venga conmigo.

Capítulo XXII

UN CÁLIDO REFUGIO

De la cocina venía un olor suave y penetrante a infusión. En el tocadiscos sonaba una música de piano tenue, monótona, acariciadora, como la de una de esas películas en las que dos enamorados caminan de la mano por una playa a la hora del crepúsculo. Tímidamente, Lorencito Quesada salió del cuarto de baño —muy coqueto, pero de dimensiones tan reducidas como las de una alacena—, teniendo cuidado de que al moverse no se le abriera más de lo debido el espeso y cálido albornoz que lo cubría. Sólo ahora, ya duchado y repuesto, recién afeitado, oliendo a gel y a polvos de talco, pues es muy propenso a las escoceduras en las ingles y nada más que la higiene permanente y el talco lo alivian, se detuvo a mirar la habitación donde estaba: tenía el techo inclinado, y una ventana que daba a un paisaje nocturno de tejados y campanarios. Una escalera portátil subía hacia un altillo donde debía de estar el dormitorio, tapado por una cortina, y en las paredes había fotos enmarcadas de hombres y mujeres de raza negra, así como un cartel de tela en el que estaba impresa una poesía de un tal Benedetti. Sus pies, calzados con unas dulces pantuflas, pisaban sin ruido una alfombra blanca como de sogas entretejidas. Frente a la estufa de hierro había un sofá cubierto por una manta alpujarreña: faltaban los copos de nieve en la ventana para que el lugar se pareciese extraordinariamente al decorado de la zarzuela *Bohemios.*

Lorencito dudaba si sería correcto sentarse en el sofá, teniendo en cuenta la incertidumbre de si los faldones del albornoz lo taparían decorosamente una vez sentado. Prefirió quedarse de pie, escuchando el rumor de platos y cucharillas que procedía, como la música, del otro lado de una cortina de cuentas, tras la que vio, no sin una mezcla de arrobo y temor, la silueta de la bailaora rubia, atareada en la cocina con una bandeja y un servicio de té. Al menos ya sabía su nombre: Olga. Se lo dijo mientras lo traía a su casa conduciendo temerariamente un todoterreno de color rojo en el que, según le contó, llevaba todo el día dando vueltas por Madrid en busca suya. Temía por su vida: había ido a la pensión y le negaron que él se hospedara allí. A última hora se acordó del antiguo *manager* de Matías Antequera, y como le constaba que también era de Mágina supuso que Lorencito había podido dirigirse a él. «No creo en las corazonadas», le dijo, con una sonrisa embriagadora, «pero desde las bases de la psicología más empírica no puede descartarse por completo la teletransmisión no verbal».

Lorencito se mostró apasionadamente de acuerdo, envidiando en secreto la riqueza de vocabulario que manifestaba la muchacha, fruto indudable de sus estudios superiores. Le confesó, todavía en el coche, que él era un *autoridacta*, palabra que le gusta mucho, por sonarle a latín. Ella lo miró con ojos brillantes de dulzura tras sus gafas redondas: «No se fatigue hablando», le dijo, «ahora lo primero es descansar. Después tendrá tiempo de contármelo todo». Dejaron el coche en un aparcamiento subterráneo situado en una plaza grande, fea y sombría que se llamaba Vázquez de Mella. Olga vivía cerca, en un quinto piso sin ascensor de la calle Pelayo. «Es lo mejor de Madrid», le explicó, «aquí todavía puede hacerse vida de barrio». La llegada al quinto piso fue tan extenuadora para Lorencito como si hubiera recorrido una por una las estaciones del Calvario. Enérgicamente, mientras Lorencito se duchaba, Olga le recogió toda la ropa y la puso en la lavadora sin reparar en las manchas de sangre: él aún no le había dicho nada sobre los asesinatos de Matías Antequera y de Pepín Godino.

Se lo contó todo después, sentado junto a ella en el sofá de la manta alpujarreña, que era algo rasposa, frente a una mesa baja, con típicas taraceas moriscas, donde humeaba una tetera de plata. El té con hierbabuena, tan caliente y tan dulce, le gustó mucho a Lorencito, que no lo había probado nunca. Los pastelillos artesanales de almendra y de sésamo que ella lo animaba a comer le resultaron deliciosos, y de vez en cuando tenía que interrumpir su narración y beber un sorbo de té para que no se le apelmazaran en el cielo de la boca. Hablaba como envarado, muy derecho en el sofá, con las rodillas juntas, sin mirar casi nunca los ojos tan atentos de la muchacha, avergonzándose de sus carnosas pantorrillas blancas, sujetando en el regazo los filos del albornoz. Le costó sudores contar con la debida delicadeza su visita al *sex-*

shop, aunque omitió toda referencia a la mujer que se introducía entre los muslos aquel aparato a pilas. Pero lo más difícil de todo fue atreverse a confesarle a Olga que Matías Antequera, por el que ella manifestaba tanta admiración como cariño, había sido asesinado.

—No es posible —dijo ella, consternada—. No me lo puedo creer.

—He visto su cadáver con mis propios ojos.

Olga ocultó la cara entre las manos y rompió a llorar amargamente. Sollozos espasmódicos le agitaban el pecho, según pudo apreciar desde una turbadora cercanía Lorencito mientras inclinaba la mirada, con expresión de pesar, hacia el pico del escote. Olga se echó sobre él, abatiendo la cabeza rubia justo en su regazo. Lorencito, a quien el llanto se le contagia en seguida, tenía un nudo en la garganta, y notaba que a él también las lágrimas empezaban a humedecerle los ojos. Pudorosamente depositó una mano en los hombros de Olga, diciendo a duras penas algunas palabras de consuelo, y como el llanto de la muchacha arreciaba se atrevió a pasarle las yemas de los dedos por la melena lisa, dorada y reluciente en la luz de la lámpara con pantalla de mimbre que había en un rincón, dando a la escena ese ambiente íntimo que él compararía luego, con inconsolable nostalgia, al de los anuncios televisivos de una conocida marca de café instantáneo.

El calor de la ducha se sumaba en su organismo apaciguado al de las tazas de té y a la temperatura palpitante del cuerpo femenino cobijado en el suyo. A despecho de su sincera aflicción, o alimentado por ella, Lorencito sentía una envolvente dulzura que era aún más poderosa porque no recordaba haberla conocido nunca. Sin darse cuenta las caricias en el pelo rubio y sedoso que le rozaba los muslos y se los desbordaba iban extendiéndose hacia la frente y el cuello de Olga, y los ancestrales apetitos de la especie, que ignoran, cuando se desatan, los frenos de la moralidad y de la conveniencia, reanimaban en él ciertas particularidades fisiológicas largo tiempo dormidas sobre las que en ese momento habría preferido correr, pensaba angustiosamente, *un tupido velo*: más tupido, en cualquier caso, o más holgado, que los faldones del albornoz, ya de por sí escaso para cubrir en circunstancias normales las amplitudes de su anatomía. Entonces Olga se incorporó bruscamente, y él temió, no sin motivo, que le recriminara su lujuria.

—Lo vengaremos —dijo ella, con gran alivio de Lorencito Quesada—. Usted y yo juntos. La cárcel es poco castigo para esa gentuza...

—Pero yo no puedo ir a la Policía —Lorencito aprovechó para subirse tanto como pudo los faldones, sujetándolos con las dos manos, cuyas palmas ya empezaban a sudarle—. Aquí donde me ve soy sospechoso de dos asesinatos, incluso de tres, si encuentran en el cadáver de Pepín Godino mis huellas digitales.

—No hablo de la policía —Olga se había quitado las gafas y sus ojos bellos y miopes miraban a Lorencito con una fijeza nada tranquilizadora—. En Madrid es muy fácil conseguir una pistola. Ahora mismo, ahí abajo, en la plaza de Chueca... Ojo por ojo.

—Venga, mujer, serénese —Lorencito volvió a pasarle una mano por el hombro—. Tan pecado es la venganza como el asesinato. Tengo la llave del almacén, y usted sabrá decirme dónde están esas Galerías Piquer donde guardó Pepín Godino la imagen. La mejor venganza será devolver a Mágina el Santo Cristo de la Greña y restituirle su buen nombre a Matías Antequera.

Tiempo después aún repetía Lorencito palabra por palabra aquella exhortación, asombrándose de su propia elocuencia. Se recuerda de pie, digno y sobrio a pesar del albornoz y las pantuflas, recibiendo noblemente en sus brazos a la muchacha, que era un poco más alta que él y le apoyaba la cabeza en el hombro al estrecharlo, mojándole otra vez la cara con sus lágrimas, introduciendo uno de sus muslos, con disculpable aturdimiento, entre los faldones del albornoz, mientras el cinturón, ya flojo, amenazaba con soltarse.

—Eso está en el Rastro —Olga irguió la cabeza, se apartó el pelo de la cara, se limpió las lágrimas, mirando tan cerca a Lorencito que él veía su propia cara en las pupilas dilatadas—. En la Ribera de Curtidores. Vámonos ahora mismo.

—Mañana —dijo él, reteniéndola—. Ahora los dos estamos muy cansados, y ya sé por experiencia lo peligroso que es salir de noche en Madrid.

—Pero no irá a dejarme sola, ¿verdad? —la voz de Olga tenía un quiebro suplicante.

—No se preocupe —Lorencito, para sorpresa suya, se crecía—. Váyase tranquilamente a dormir. Yo velaré toda la noche en el sofá.

—Pero está muy cansado —susurró ella, pasando sus largos dedos por la solapa del albornoz—. Debería verse las ojeras...

—No importa —Lorencito retrocedía hacia una distancia prudencial, pero ella volvía a atraerlo suavemente—. Tengo costumbre de velar. Ya sabe, por la Adoración Nocturna...

—Venga conmigo —Olga caminaba hacia atrás, en dirección a la escalera del dormitorio, sin desprenderse de él—. Si duermo sola esta noche me moriré de miedo.

Pero quien ya estaba muriéndose de miedo era Lorencito Quesada.

Capítulo XXIII

DE NUEVO ACORRALADO

Es inútil rogarle que cuente con detalle lo que sucedió después: su caballerosa discreción, acrisolada en el ejercicio del secreto profesional, que es el primer mandamiento del periodismo, en este punto se vuelve inconmovible. En su cara llena, habitualmente muy seria, sobre todo desde que volvió de Madrid, se le dibuja una sonrisa, y su mirada, a un tiempo risueña y melancólica, se pierde en el infinito, o en el fondo de la copa de vino quinado que sigue tomando con puntualidad cada noche a las nueve. Desde entonces, las canciones más tontas que escucha en la radio le ponen en el pecho una congoja de felicidad, como la de un muchacho de dieciséis años. Sólo cuenta que se durmió muy tarde, que Olga no quería apagar la luz, a causa del miedo, que al cabo de un rato de compartir el angosto dormitorio en el altillo ya se tuteaban, que ella empezó a llamarle Lauren, que durmió como un tronco —aunque esa comparación le parecía vulgar— más de ocho horas, y que al despertarse recordaba haber tenido vívidos sueños en color y sentía en los miembros una paz balsámica y una ligereza como de recobrada juventud, así como un orgullo muy semejante a la vanidad que al parecer se iba cimentando en el repaso maravillado de algunas evidencias numéricas.

Al despertar, la cama grande y baja, el suelo de madera, el techo tan inclinado sobre él, le dieron la confortadora sensación de encontrarse en el escenario de un cuento. Observó que aquella había sido la primera noche de su vida que dormía sin pijama, y eso le hizo acordarse de su madre y de que llevaba casi dos días sin hablar con ella por teléfono. Pensar en llamarla delante de Olga lo avergonzó: pero Olga, advirtió entonces, con tardanza excesiva, porque sólo en ese momento despertó del todo, no estaba en la cama. Quedaba en las sábanas su olor y la huella caliente de su cuerpo, pero su ropa había desaparecido del suelo, igual que su reloj, sus gafas y sus pulseras de la mesa de noche, que era un cesto de mimbre.

Pensó, para no alarmarse: «Estará abajo, haciendo el desayuno.» ¿No había en el aire un perceptible olor a café? Al sentarse en la cama se dio un golpe contra el techo inclinado. Ya se imaginaba bajando la escalera envuelto en su albornoz, silbando algo camino de la ducha, mientras en la cocina ella preparaba unas ricas tostadas, de la parte de arriba del pan, que son las más sabrosas, y batía para él una taza de Cola-Cao bien espeso, con la leche caliente, como a él le gusta, tan caliente que le dan sudores cuando empieza a beberla. Se puso el albornoz, que estaba tirado en un rincón, se calzó las pantuflas. Pensó llamarla en voz alta y decidida, pero a pesar de toda la confianza íntima atesorada a lo largo de la noche no se atrevía. Una molesta inquietud lo sobresaltaba, como el miedo que tiene uno a despertarse en medio de un sueño demasiado feliz: que Olga se hubiera ido, que lo hubiera engañado. Al fin y al cabo, ¿de qué se conocían? ¿No tenía constancia él, gracias a la lectura de algunos libros, de la amargura y el vacío que son secuelas de los amores superficiales de una noche?

Olga no estaba en la habitación del sofá. De la mesa morisca habían desaparecido el servicio de té y la bandeja de dulces, y el cenicero, obra de la alfarería portuguesa, estaba limpio de colillas. Lorencito apartó con mano trémula la cortina de cuentas y detrás de ella tampoco estaba Olga. La cocina, tan estrecha como el cuarto de baño, empotrada en un rincón de la pared, había sido recogida muy poco tiempo antes, pues aún olía a detergente y los platos goteaban en el escurridor. En aquella segunda habitación se terminaba la buhardilla: había muebles antiguos, una alfombra rústica, cientos de libros y objetos de cerámica en las estanterías. Comparar aquella biblioteca con la suya, tan escuálida a pesar de la *Gran Enciclopedia de las Ciencias Ocultas*, le produjo a Lorencito un vivo complejo de inferioridad cultural que acentuó su abatimiento. Miró con tristeza la mañana nublada por un balcón desde el que se veía el campanario y el jardín de un monasterio. Ideas lúgubres se apoderaban de él sin que el recuerdo de la dicha —y del *acto*, según dice con pudoroso tecnicismo— bastase para reanimarlo. Un traje y una camisa de hombre, perfectamente planchados y doblados sobre el respaldo de una silla, llamaron su atención. Fue entonces como si hubiese estado ciego y recobrara por milagro la vista: el traje y la camisa eran los suyos, y también la camiseta y los calzoncillos de felpa que estaban al lado, y los calcetines limpios, y los zapatones negros que relucían de betún, y la nota que había sobre la mesa, junto al termo de café con leche y el plato de pastelillos, estaba dirigida a él:

Querido, apoteósico, salvaje Lauren: he tenido que salir, pero no tardaré. ¿Serás capaz de esperarme? Te dejo preparada tu ropa. En el cuarto de baño tienes espuma y cuchillas de afeitar. No te vayas, please. O.

Postdata: Mmmmmmm.....

Lorencito desayunó opíparamente: ni siquiera el café le provocaba palpitaciones esa mañana memorable. Llamó a su madre por teléfono y se las ingenió para cortar en seguida la comunicación, diciéndole que estaba en la sala de prensa del Congreso Eucarístico y que justo en ese instante pasaba por allí el Nuncio de Su Santidad, al que iba a solicitarle unas palabras. Su higiene personal y el cuidado de su ropa y de los detalles de su presentación alcanzaron perfecciones de dandismo: más de media hora dedicó a esculpirse la onda del tupé y a conseguir que la línea de sus patillas corriera exactamente a la altura de los lóbulos. En cuanto al estado de su traje, lo conceptuó sin vacilación de impecable: la doble raja de la chaqueta, tan difícil de planchar, tenía una lisura tan perfecta como la raya del pantalón, y la camisa, los calzoncillos y la camiseta parecía que hubieran sido almidonados por una experta oficiala. Se dijo que Olga, joven moderna, como de capital, desenvuelta, independiente, sensual, espontánea, era al mismo tiempo muy mujer de su casa, y que eso desmentía la opinión pesimista que impera en los círculos tradicionales de Mágina sobre las nuevas generaciones, y muy en especial sobre sus componentes de sexo femenino.

Se ajustaba la corbata silbando ante el espejo. Sólo echaba de menos su refrescante colonia Varón Dandy. En cuanto Olga volviese irían juntos a buscar la imagen del Santo Cristo de la Greña, y luego... Pero no quería pensar en el día de mañana, que además, recordó con un acceso de tristeza, era lunes, un lunes rutinario y tenebroso de Mágina en el que se levantaría a las ocho en punto para estar a las nueve a las puertas de El Sistema Métrico, esperando que abrieran, oyendo las campanadas del reloj en la plaza del General Orduña, frotándose las manos en un penoso silencio mientras sus compañeros, a los que llevaba viendo día tras día durante los últimos treinta y tantos años, comentaban los resultados del fútbol o se gastaban bromas soeces sobre los respectivos débitos conyugales del fin de semana, sin que faltase alguno que ponderando con fingida envidia la soltería de Lorencito le atribuyera costumbres de promiscuidad.

Para distraerse de la melancolía que otra vez lo estaba venciendo se puso a ordenar metódicamente en los bolsillos cada una de sus pertenencias, que la noche anterior había depositado en una repisa del cuarto de baño: el pequeño frasco de Oraldine, la cartera, en la que revisó cada uno de sus documentos y su ya menguada provisión de dinero, el bolígrafo Bic, el cuaderno de notas, el admirable cassette Sanyo, no más voluminoso que un mazo de naipes, el sobre con el retal de hábito, el bote de lentillas donde guardaba la uña del Santo Cristo... Pero también, ahora se acordaba, había guardado allí la llave que perteneció a Pepín Godino, la del almacén donde éste tenía escondida la imagen venerable.

La llave no estaba. Y si no estaba donde él la puso y de donde él en ningún momento la sacó era porque alguien se la había quitado. Y de nadie podía sospechar más que de Olga. Pero sospecha no era la palabra exacta. Las palabras justas, una vez más, como desde el principio de su estancia en Madrid, eran engaño y traición. Y esa joven, a la que un minuto antes había idolatrado, conjeturando con insensata candidez la posibilidad de proponerle un noviazgo formal, ahora se le presentaba como una mujer fría y calculadora, una loba con piel de cordero, una Eva que le había ofrecido sin que él se resistiera la fruta prohibida, aunque suculenta, de la perdición y la mentira, seduciéndolo como una aventurera sin escrúpulos.

Todo el cuerpo le temblaba en sacudidas de blandura y despecho mientras bajaba atropelladamente los cinco pisos de escaleras. Tal vez aún estaba a tiempo de evitar que la viciosa bailaora le arrebatara con sus malas artes el Santo Cristo de la Greña. «Ésa a mí no me conoce», pensaba con rencor, «ésa no sabe todavía quién soy yo». En la calle, frente al portal, dos hombres fornidos, con trajes oscuros, con gafas de sol y bigotes negros, con auriculares para sordos, lo miraron por encima de sus periódicos abiertos y sin ningún disimulo echaron a andar tras él, cada uno por una acera. Un coche los seguía despacio, los adelantaba, se iba aproximando a Lorencito, ya le pisaba los talones. Pero en el semáforo de una calle transversal estaba detenido un taxi y Lorencito, con premura y arrojo, abrió la puerta trasera y se lanzó a su interior diciendo en voz clara y terminante:

—Rápido. A la Ribera de Curtidores. A las Galerías Piquer.

CAPÍTULO XXIV

EMBOSCADA EN EL RASTRO

Seguido a corta distancia por el coche donde iban los hombres de los sonotones y los bigotes negros el taxi bajó raudamente por el Paseo de Recoletos, pasó en ámbar los semáforos de la explanada de Atocha, donde brillaban al sol como palacios orientales las cúpulas de cobre de la antigua estación, giró hacia las despejadas rondas de Valencia y Toledo y se detuvo por fin, con gran estrépito de frenos y levantando una polvareda, en el costado de una plaza que parecía ocupada por un campamento de tiendas beduinas o zíngaras. Después de golpearse la frente, como de costumbre, contra la mampara de plástico blindado, Lorencito le pagó rápidamente al taxista, un joven de cabeza rapada que mascaba chicle con la boca abierta y conducía como si manejara el volante no de un coche, sino de un videojuego, y sin detenerse a recoger el cambio, que era cuantioso, bajó del taxi y procuró perderse entre la pintoresca multitud de buhoneros y mirones que inundaba las calles adyacentes a la Ribera de Curtidores, arteria principal del populoso Rastro de Madrid, que tiene principio en la castiza plazuela de Cascorro y desciende con anchuras y turbiones de gran río tropical hasta su desembocadura en la Ronda de Toledo, arrastrando en sus rápidos todas las variedades posibles de artículos, compraventas y trueques, como una inundación que se lo llevara todo por delante, lo más opulento y lo más ínfimo, los aparadores de caoba, las bibliotecas ingentes, las grandiosas lámparas de araña y los retratos al óleo de las familias tronadas, los uniformes militares, las condecoraciones heroicas, los nobles aperos de labranza de los cortijos saqueados o subastados, los trajes de comunión de niños que murieron tísicos a principios de siglo, las planchas de hierro que usaron en su juventud nuestras madres, sus recordatorios de boda, los sillones de mimbre y metal pintado de blanco que había antes en las barberías, las brochas, incluso las hojas de afeitar herrumbrosas, las primeras maquinillas eléctricas, los discos de pizarra, las vírgenes de yeso, de celuloide o de plástico, los cassettes piratas de Plácido Domingo o de Matías Antequera, los palilleros de dientes, con y sin palillos, los prospectos de jarabes, las cajas de herramientas, las camisetas estampadas con la efigie del beato Escrivá de Balaguer, las rejas y los portones de casas solariegas, los somieres, los aguamaniles, los orinales de loza con un ojo pintado en el fondo, las máscaras antigás de la guerra del Golfo, los escapularios milagrosos de los requetés, los vídeos pornográficos, los ejemplares atrasados de *El adalid seráfico* y *El querubín misionero*, revistas en las que alguna vez ha colaborado Lorencito Quesada, las bocinas en forma de loto de los gramófonos, los primeros *pick-ups*, los radiocassettes recién robados, los almanaques de la Unión Española de Explosivos, los de Café-Bar El Rábano, *comidas económicas,* y los de Transportes Marcelino, las máquinas con manubrio para embutir chorizos, las latas de especias marca Carmelita, los aislantes cerámicos, los conmutadores de pera, las cucharillas descabaladas de una cubertería con las iniciales *JM*, los cromos sueltos, en color, de *Ben-Hur*, de *Molokai*, de *Mazinger-Z*...

Todo lo miraba Lorencito, mareado y atónito por aquella desatada abundancia, por aquella pululación de cosas y de gente, de tenderetes sucesivos que le cerraban el paso como los callejones de un zoco musulmán y gritos de vendedores y discordias de músicas que atronaban el aire desde poderosos altavoces, y a los que de vez en cuando se unían el ritmo machacón de un órgano eléctrico y el de la trompeta de un gitano que tocaba pasodobles mientras una cabra famélica trepaba una escalera. Todo se le quedó grabado, como él dice, en su retina, en su memoria fotográfica, pero aunque se pasara horas queriendo recordarlo jamás agotaría la formidable enumeración de aquella babel de razas, de desperdicios y tesoros en medio de la cual navegaba corriente arriba por la Ribera de Curtidores, sabiéndose al mismo tiempo perseguidor y perseguido, en una mañana desapacible de finales de marzo en la que el viento agitaba los toldos y los géneros multicolores de los puestos de ropa y el sol aparecía y desaparecía entre las ramas umbrosas de los castaños de Indias, sobre una muchedumbre que estrujaba y entorpecía a Lorencito como las lianas de una selva, en un desbarajuste comparable al del pueblo de Israel cuando se reúne en *Los diez mandamientos* para abandonar Egipto a las órdenes de Charlton Heston.

Pero al menos había logrado burlar a sus perseguidores y estaba acercándose al edificio de las Galerías Piquer: era, según le había indicado el taxista, esa torre tan alta, con ventanas geométricas, que terminaba en un tejado de pizarra muy semejante a los del Ministerio de Marina, que Lorencito conoce bien, por haberlo visitado en su primer viaje a Madrid, cuando lo declararon exento del servicio militar, que le tocaba en la Armada, por ser hijo de madre viuda, lo cual le ahorró una segunda alegación por pies planos. Desprendiéndose de la multitud tan trabajosamente como si trepara por una orilla cenagosa alcanzó el arco de entrada de las Galerías Piquer, que daba a un patio con corredores de tiendas de anticuarios. Se le sobresaltó el corazón, pero no a causa del miedo, ni de la posibilidad de hallar al Santo Cristo de la Greña, sino porque estaba seguro de que iba a encontrarse cara a cara con Olga. De golpe le vino un recuerdo exacto de la última noche, en el que participaba con igual intensidad cada uno de sus cinco sentidos, incluso algún otro del que hasta entonces no había tenido noticia, y tuvo que pararse a recobrar el aliento en mitad de la escalera que subía hacia los almacenes de la torre y a reñirse con severidad a sí mismo por haber permitido una punzada de ternura y perdón. «Se va a enterar de quién soy yo», dijo en voz alta, aunque algo debilitada por el nerviosismo y el agotamiento.

El almacén 421 estaba en el cuarto piso, en un corredor donde soplaba el viento por las ventanas sin postigos, con las baldosas sueltas, con las paredes desconchadas. Había vuelto a ocultarse el sol y la mañana tenía una luz de invierno que Lorencito comparó después con el eclipse de sus ilusiones fugaces. La puerta del almacén era estrecha y baja, y estaba entornada. Al acercarse a ella se acordó de la puerta del lavabo de señoras desde donde Olga lo había llamado en el Café Central. «Ni dos días», pensó, «y ya parecen años». Olga estaba de pie, en el almacén vacío, que era más bien un trastero, junto a una ventana pequeña y redonda, sin cristal, por la que llegaba el ruido de la calle. Iba sin gafas, con un traje de chaqueta, el mismo que llevaba cuando Lorencito se cruzó con ella la primera vez, en la acera del Corral de la Fandanga. Era como si cambiara de vida cada vez que se cambiaba de ropa. El bolso hacía juego con sus zapatos de tacón. En la mano derecha tenía una pistola.

—Lauren —dijo, con una sonrisa que a él le pareció de temor—. Estaba esperándote.

—No quieras engañarme otra vez —repuso con frialdad Lorencito—. En la nota decías que te esperara en tu casa.

—He preferido que no nos vieran juntos —Olga guardó la pistola en el bolso e hizo ademán de acercarse a él: si daba un paso más, si llegaba a olerla, estaría perdido.

—Todo era mentira, una... absurda mentira —dijo, dándose cuenta con retraso de que el adjetivo que buscaba era *burda*—. Y yo soy tan tonto que me lo creí.

Pero le miraba los labios y casi sentía su sabor en la boca, y al oír su voz no atendía a sus palabras, porque se acordaba de la noche anterior, de ciertos gemidos que al principio había tomado por quejas, y que ahora se resistía a considerar tan falsos como los de las actrices de las películas *S*.

—Lauren —Olga dio un paso más hacia él—. Puedo explicártelo todo.

—No te acerques. No tienes que explicarme nada.

—Lauren —repitió; ya estaba a su lado, ya podía olerla: sus dedos rozaron el tembloroso labio superior de Lorencito—. Tengo la imagen. No pensaba robártela.

—¿Dónde? —preguntó él ansiosamente, no tanto por su interés hacia la imagen como por la necesidad de recobrar su fe en la muchacha.

—Bien guardada —se inclinó hacia él y lo besó con suavidad, pasándole la punta de la lengua por la hendidura del labio superior, que constituía, según su autorizado dictamen, una de las zonas erógenas de Lorencito, casi la única, le había explicado la noche antes, en un intermedio de conversación, no entumecida por algo que ella misma llamó sus *corazas caracterológicas.*

Sin esperar a que Olga le disipara las dudas que todavía albergaba, Lorencito se rindió a sus encantos: al abrazarla, con renovado ímpetu, se alzó un poco sobre las puntas de los pies, dado que los tacones de ella incrementaban considerablemente su estatura. Pero entonces la puerta metálica del almacén se abrió del todo con un estruendo de patadas, y Lorencito y Olga, sin desprenderse aún de su abrazo, se vieron rodeados por cinco hombres hercúleos que apuntaban hacia ellos grandes revólveres, sujetándolos con las dos manos, con las piernas abiertas y las rodillas flexionadas, con trajes oscuros, con gafas de sol, con bigotes negros, con sonotones en las orejas…

—No hacía falta tanto —dijo Olga, sonriente, desconocida, tranquila, mirando a Lorencito con frialdad y desdén—. Yo ya lo tenía bien cogido.

Él bajó los ojos y vio que Olga le clavaba en el costado el cañón de su pistola. La había sacado del bolso mientras lo abrazaba.

Capítulo XXV

EN LA TORRE PICASSO

El coche negro subía como una exhalación por el Paseo de la Castellana. En el asiento posterior, entre dos de aquellos hombres como armarios cuyos pétreos volúmenes lo mantenían encajonado y preso, Lorencito Quesada miraba desplegarse a toda velocidad las arboledas, los pasos elevados y los rascacielos de cristal de la imponente avenida, más larga y dilatada aún porque en la mañana del domingo estaba casi limpia de tráfico. No lo habían atado, pero iba tan sujeto como si lo oprimieran dos bloques de granito, y la única parte de su cuerpo que disponía de un poco de movilidad era el cuello: al volverlo veía el otro coche, también negro y como acorazado, marca Volvo, en el que viajaban Olga y dos guardaespaldas. Distinguía de lejos su melena rubia y se mordía los labios con amargura y rencor, reservando para sí mismo las peores injurias, y considerando que cualquier desgracia que en adelante le ocurriera la tenía bien merecida, por tonto, por incauto, por lascivo, por tropezar dos veces en la misma piedra, como dice la canción de Julio Iglesias: y venía a pelo la comparación, diría luego, porque se había quedado *de una piedra* cuando Olga, como un Iscariote femenino, lo entregó a aquellos cinco guardaespaldas graníticos, tan poco humanos que ni hablaban ni parecían respirar ni mirar tras sus gafas de sol.

El coche giró a la altura de un vasto edificio horizontal: *Estadio Santiago Bernabeu*, tuvo tiempo de leer Lorencito. Bajó unos minutos en dirección contraria y se detuvo: los guardaespaldas lo empujaron sin miramientos, con secos gruñidos de antropoides. Al salir a la acera hincharon los pechos como si estuvieran a punto de golpeárselos rítmicamente con los puños, mostrando las encías. El otro coche frenó tras ellos unos segundos después. Lorencito volvió la cabeza para no mirar la sonrisa que le dedicaba Olga. Le dio vértigo mirar hacia arriba: los rascacielos, en esa parte de Madrid, eran mucho más altos que en la Gran Vía o en la plaza de España. Había salido el sol y sus fachadas brillaban como acantilados de cristal. ¡Y en Mágina la gente admira embobada el edificio La Chopera, porque tiene diez pisos!

Lorencito caminaba impelido por los empujones de los guardaespaldas. Lo hicieron atravesar pasajes subterráneos, corredores de paredes de vidrio, siniestros túneles vacíos en los que se multiplicaba la resonancia de los pasos. Madrid parecía ahora una ciudad del futuro abandonada tras la explosión de una de esas bombas nucleares de las que dicen que sólo matan a la gente y dejan intactos los edificios. Salieron a una explanada tan desierta y tan amplia como una rampa de lanzamiento de cohetes. Sólo se oían las pisadas numerosas del grupo en el que Lorencito era arrastrado: no había nadie más, ni en plazas de granito y cemento, ni en ninguna de las miles de ventanas iguales que se levantaban hacia el cielo. Abajo, en la explanada, al final de la escalinata por la que ahora descendían, estaba la puerta en forma de arco de un rascacielos tan blanco como una nave espacial, el más alto de todos, con anchas estrías como de columna sobrehumana, cúbico, más inabarcable para la mirada a medida que iban acercándose a él.

Lorencito se acordó de algo que había dicho Pepín Godino en sus delirios agónicos: aquella debía de ser la Torre Picasso. Las puertas, tan grandes como las de una catedral, eran de vidrio, y se abrieron automáticamente. En el vestíbulo, todo de mármoles blancos, había guardias de uniforme. También el ascensor estaba forrado de mármol. Lorencito se obstinaba sin demasiado éxito en que los ojos claros y afables de Olga no se encontraran con los suyos. Cuando el ascensor se puso en marcha tuvo la sensación angustiosa de que el estómago se le saldría por la boca: ¡en décimas de segundo el indicador electrónico señalaba el piso cuarenta!

Salieron a un pasillo donde el suelo y las paredes también eran de mármol: todas las puertas se abrían silenciosamente delante de ellos. Mármol, acero, aluminio, cristal: era como si todos los demás materiales hubiesen desaparecido del mundo. Cruzaron oficinas con paneles blancos y mesas blancas sobre las que parpadeaban pantallas de ordenadores. Pilotos rojos y verdes se encendían a medida que las puertas de cristal iban abriéndose y cuando se cerraban tras ellos con un roce sedoso. Artefactos vagamente parecidos a máquinas de escribir imprimían columnas de números en hojas interminables de papel sin que los manejara nadie. Lorencito fue empujado hacia el interior de una habitación donde una gran pantalla de vídeo iluminaba la oscuridad. Una mano tibia buscó la suya: era la de Olga. Los habían dejado solos. Lorencito la rechazó. En la pantalla se veía en primer plano una cara enorme, una mano aún más grande que intentaba cubrirla: era él mismo, Lorencito, que abría la boca y negaba en silencio. Era la película que le había tomado el falso turista japonés junto al Corral de la Fandanga.

La pantalla se apagó: la luz del sol fluía a rayas por una persiana que se estaba levantando automáticamente. El zumbido del motor se detuvo: la claridad aún era escasa, pero Lorencito pudo ver que la habitación era muy grande, que la pantalla estaba en el centro y que junto a ella había un hombre sentado en un sillón giratorio. Una línea de sol le iluminaba el pelo blanco y brillaba en los cristales de sus gafas. Tenía las piernas cruzadas, zapatos negros, calcetines altos: esa clase de calcetines que nunca muestran la pantorrilla por mucho que se alce el pantalón, y cuyo secreto, ha pensado siempre Lorencito, pertenece en exclusiva a los ricos. Ahora supo dónde había visto esa cara antes de cruzarse con ella en la basílica de Jesús de Medinaceli: en los noticiarios de la televisión, en las primeras páginas de los diarios financieros, en las páginas satinadas de las revistas del corazón, donde se publican continuos reportajes en color sobre su yate de veinte metros de eslora, sobre su palacete recién construido en una exclusiva urbanización de Puerta de Hierro, sobre la polémica anulación de su primer matrimonio por el tribunal de la Rota y las consiguientes nupcias con una de las modelos más cotizadas de la alta costura, una despampanante pelirroja treinta años más joven que él… ¿Hará falta estampar aquí su nombre, cuando sólo sus iniciales, JD, por las que suele aludírsele en los mentideros de la prensa, ya se han vuelto legendarias, tan universalmente conocidas como las de los automóviles SEAT, como la AMDG de la Compañía de Jesús, y sin duda mucho más influyentes, no sólo en el mundo de las altas finanzas, sino en el de la política, el coleccionismo de arte, el patrocinio deportivo, los medios de comunicación?

—Ya iba siendo hora de que usted y yo nos encontráramos despacio —dijo JD, con una voz extraordinariamente suave, con las dos manos juntas y las yemas de los dedos sobre la barbilla. Hablaba con frases muy cortas, y al final de cada una guardaba un reflexivo silencio—. En la intimidad, sin prisas. En las distancias cortas se conoce a los hombres. Al menos a los hombres como usted. Singulares. Decididos. Sabiendo lo que quieren. Y cómo conseguirlo. Admítame un elogio: no hay muchos. No *somos* muchos. Nos reconocemos en seguida. Pero los demás no nos conocen. Nos juzgan: equivocadamente. A usted, discúlpeme, lo conceptuaban de idiota. Fácil de engañar. De eliminar. «Se le tira por el Viaducto y santas pascuas.» Decía ese cretino. Dios lo tenga a él en su Gloria. Incompetentes: problemas de encargar trabajos delicados a terceros. Como las contratas y las subcontratas. Nos entendemos. A que sí. Segunda fase: Nikimura. Antiguo operador de vídeo. El *killer* de más reputación en todo el Sudeste asiático. Supernumerario en la *Yakuza* de Tokio. Desarmado, usted lo elimina. Limpiamente, sin ruido, sin huellas. Más difícil todavía: se desamordaza, como Houdini, salta en marcha de una furgoneta en la M-40. Contratiempos: a su paisano le pica la codicia.

Eliminación, no con la misma profesionalidad que usted emplea, pero bueno. El peligro sigue siendo usted: dispuesto a todo y libre por Madrid, atando cabos. La fuerza bruta, las armas, ¿qué valen sin la inteligencia? Último, casi desesperado recurso: *cherchez la femme*, como diría un amigo común. Amablemente, Olga coopera. Incluso los hombres como nosotros tienen un talón de Aquiles. Veo cómo ella le mira: también ahí hizo usted un trabajo perfecto. En estos tiempos, ellas añoran a un hombre verdadero. No los encuentran en las nuevas generaciones. Silencio: no quiera hablar todavía. Faltan detalles, flecos. Punto uno: la santa imagen, que usted me entregará, dado que financié la operación y soy su legítimo dueño. Punto dos: trabajará para mí. Me han contado que se hace pasar por periodista. Tapadera perfecta. Lo quiero desde ya en mi equipo de adquisiciones. Nada de contratas, nunca más. Su primera misión, en el extranjero: la sangre de San Gennaro. A los otros les parecía imposible: para usted nada lo es. Y una idea que me da vueltas: ¿se acuerda de los quince centímetros de colon que le extirparon hace poco a Su Santidad el Papa? Se rumorea que ya andan en el mercado negro, y que obran prodigios. Pero antes de que me responda quiero que vea algo…

JD oprimió un mando a distancia: la persiana, que ocupaba toda una pared, siguió levantándose, y el sol iluminó poco a poco la habitación entera, al tiempo que en los altavoces del hilo musical sonaba muy bajo el *Adeste fideles*. Lorencito no daba crédito a sus ojos: la otra mitad de la habitación no era o no parecía un despacho, sino la capilla más rica, la más abarrotada de imágenes de santos, crucifijos y relicarios que él había visto nunca. JD, orgulloso de su golpe de efecto, miraba con satisfacción a Lorencito y a Olga, los animaba a aproximarse. Eligió un relicario labrado en plata y lo sostuvo reverencialmente ante ellos con las dos manos, diciéndoles:

—¿No se habían preguntado alguna vez dónde fue a parar el brazo incorrupto de Santa Teresa después de la muerte del Caudillo?

Capítulo XXVI

EL MILLONARIO IDÓLATRA

Aquel hombre que poseía, y posee, una fortuna valorada por el *Financial Times* en dos mil millones de dólares; que cotiza las acciones de sus empresas en los mercados financieros de Wall Street, de la City de Londres, de la despiadada Bolsa de Tokio; que compra y vende solares y manzanas enteras de rascacielos como si jugara al *Monopoly*; que fue recibido en audiencia privada por el Papa a los pocos días de su segunda boda, en compañía de su joven esposa, vestida para la ocasión con un ondulante traje negro y una clásica mantilla española, entregándole de paso al Sumo Pontífice un mensaje secreto de nuestro monarca; que ejerce una influencia al parecer terminante en varios gobiernos sudamericanos y africanos; que es confidente, amigo y asesor de las más altas jerarquías de la nación: aquel plutócrata, supo Lorencito, con asombro, incluso con terror, porque se veía claro que tras su voz tan suave y sus maneras delicadas se ocultaba una ambición sin límites, era también un ferviente y desatado católico, un buscador y coleccionista implacable de cuantas imágenes y reliquias milagrosas podía comprar o robar, sin importarle el precio o los medios necesarios para lograr sus fines. En las cátedras de Economía y en las revistas financieras se analizan sus operaciones inmobiliarias o especulativas con la misma admiración con que puede estudiarse en una Facultad de Arquitectura el Partenón de Atenas o la basílica del Valle de los Caídos: él, con una mezcla de soberbia y piedad, atribuyó ante Lorencito Quesada todos sus éxitos a la intercesión divina y de los santos, así como al efecto multiplicado y prodigioso de su colección de reliquias.

Uno por uno les fue mostrando a Lorencito y a Olga sus tesoros, entre los cuales el brazo incorrupto de Santa Teresa ocupaba un lugar secundario. Para tocarlos se puso unos guantes blancos de seda: vieron la pluma del arcángel San Gabriel y el fragmento de la roca donde se sentó la Virgen María durante la huida hacia Egipto que se veneraron en la Capilla Real de Granada hasta que desaparecieron tras un robo nunca esclarecido; se les permitió rozar con las puntas de los dedos las tres piedras que expulsó del riñón San Alfonso María Ligorio después de un cólico nefrítico; vieron las últimas gafas graduadas del Papa Pío XII, un trozo de siete centímetros del *Lignum crucis*, la cuchara con la que Santa Lucía se sacó los ojos, un alzacuellos usado de San Juan Bosco, una de las treinta monedas que recibió Judas, que era un denario con la efigie del emperador Augusto, la caña de una escoba de San Martín de Porres, la reja de hierro con la que fueron torturados los mártires San Bonoso y San Maximiano, así como una urna con los huesos de ambos, un peine de carey, con algunos cabellos, del beato José María Escrivá de Balaguer, una bolsita con serrín de la carpintería de San José, un paño de la Santa Faz que al parecer es el verdadero, a diferencia del que se venera en la catedral de Jaén, una cosa seca y negruzca que a la luz de las más modernas técnicas de investigación resultaba ser el auténtico Santo Prepucio, el único, entre los muchos que se disputan la adoración de la Cristiandad, que resistía satisfactoriamente la prueba incontrovertible del carbono 14...

—A los hombres de empresa se nos acusa siempre de materialismo —dijo JD, aún con los guantes blancos, uniendo las dos manos junto a la barbilla, bajo el labio inferior—. Yo le puedo decir, humildemente, que todo se lo debo a mi fe. ¿De qué le sirve a un hombre ganar el mundo si pierde su alma? A la hora de tomar una decisión, el índice Dow Jones, las tablas *input-output*, sin la ayuda sobrenatural, son vanidad de vanidades. La descristianización, el paganismo, avanzan. Presidentes de gobiernos y hasta testas coronadas no dan un paso sin recurrir a las supersticiones de la quiromancia y el tarot. Si yo le contara... ¡Pero nada hay más eficaz que las reliquias certificadas por los rigurosos doctores de nuestra Iglesia Católica!

Lorencito no decía nada: lo miraba todo con los ojos y la boca muy abiertos, sin acordarse de que se había prometido a sí mismo no repetir más esa expresión. La mirada de Olga buscaba la suya: también se le había olvidado su voluntad de despreciarla. JD, tan ensimismado que parecía no verlos, circulaba entre sus tesoros frotándose suavemente las manos. Ahora había elegido una pequeña ampolla de cristal que tenía en su interior un líquido oscuro. La alzó ante los ojos de Lorencito y la luz del sol dio al líquido una tonalidad rojiza.

—Le concederé un privilegio —declaró—. Mire atentamente esta sangre. Como todos los años por estas fechas, desde hace exactamente seiscientos dieciséis, se ha licuado. Pero ya no está en la capilla de Santa Cunegunda, mártir, donde recibía hasta hace poco la iletrada y bárbara adoración de multitudes ignorantes. Ahora me pertenece únicamente a mí... En todo el orbe de la cristiandad, como usted sabe, sólo hay otras dos reliquias que obren regularmente el mismo milagro. Pero la sangre de San Pantaleón y la de San Gennaro no tardarán mucho en reunirse aquí con la de Santa Cunegunda de Antioquía...

El piadoso multimillonario puso devotamente la ampolla sobre un paño blanco. Luego invitó a Lorencito y a Olga a sentarse en un mullido sofá, debajo de un cuadro con fondo de oro que según les dijo era el retrato de la Virgen María pintado del natural por San Lucas, la *vera icon* de la que han derivado a lo largo de dos mil años las únicas representaciones legítimas de la Reina de los Cielos. Rigurosos estudios de espectrografía, dendrología y parapsicología así lo demostraban, explicó. A continuación dio una palmada, y un sigiloso camarero filipino, que llevaba un escapulario sobre la chaquetilla blanca, les trajo en una bandeja de plata tres botellines de agua fresca de Lourdes. Lorencito, al beber, tan callado como si hubiera perdido el uso del habla, miraba de soslayo las piernas de Olga, que las tenía cruzadas, y que al cambiar de postura rozó las suyas, apartándolas en seguida, como temiendo herirlo en su recobrada castidad.

—De modo que así están las cosas —con la cabeza inclinada y las manos junto a la barbilla, otra vez sin los guantes, JD dedicó a Lorencito una mirada escrutadora, aunque no tan fija que no se desviara hacia las rodillas de Olga—. Claras: como a mí me gusta. Como a *nosotros* nos gustan. La entrega de la imagen, con sus correspondientes reliquias, será el principio de nuestro acuerdo. El primer paso. Hay otra posibilidad. No le oculto que es más dolorosa. En mi equipo de seguridad cuento con un capitán de navío retirado. Argentino. Exiliado en la madre patria. Cultiva una especialidad muy valorada allí hasta hace poco tiempo. Picana. Un hilo de cobre se introduce en el glande, con perdón. Corriente eléctrica. Doloroso: también inútil. Preferible hablar antes. Consúltelo con la chica. Siempre más práctica, la mentalidad femenina.

—Usted no es un buen cristiano —ni Lorencito se creía que quien hablaba de repente era él—. Usted es un ladrón y un sacrílego. Antes prefiero la muerte que el baldón.

Esta última frase pertenece al himno de los Luises de Mágina. Lorencito se había puesto en pie, sin que la mano de Olga pudiera retenerlo. JD permanecía inmutable, aunque las puntas de sus dedos habían subido hasta la nariz. Hizo un gesto leve con la mano, como quien saca un pañuelo. Las puertas de aluminio se abrieron y cuatro guardaespaldas entraron en silencio en la habitación. Uno de ellos, que era rubio y de piel sonrosada, se dirigió a Lorencito.

—Vení conmigo, pibe —le dijo—, que recién te preparé el electrodo. Vas a tostarte doradito como asado criollo. Le garanto al patrón que con jarabe de voltio vos lo tumbás cantando al gordo Pavarotti.

Ni la cara afable ni el típico acento porteño del guardaespaldas tranquilizaron a nuestro corresponsal, para quien sus palabras fueron tan incomprensibles como las letras de los tangos, aunque no por eso menos amenazadoras. Cuatro sicarios berroqueños se le aproximaban en círculo, ajustándose, con sincronizados ademanes, aros metálicos en los nudillos, mientras el impasible plutócrata, balanceándose con las piernas cruzadas en su sillón giratorio, se olía pensativamente las puntas de los dedos y bisbiseaba un Padrenuestro, que a Lorencito le sonó como un responso anticipado. Notaba, sin embargo, la novedad sorprendente de que no le sudaban las palmas de las manos ni le temblaba el labio superior: iba a ser torturado, tal vez asesinado, y no tenía miedo. Se volvió hacia Olga y no la vio en el sofá: pensó melancólicamente que en aquellos momentos finales de su vida le perdonaba todo el mal que le había hecho. El capitán de navío argentino lo tomó del brazo, diciéndole, «venga, che, apurate», y él sintió que sus pies se afirmaban obstinadamente sobre el suelo: para moverlo tendrían que arrastrarlo. Entonces la voz de Olga sonó a sus espaldas.

—Suéltelo —dijo—. Apártense todos de la puerta. Él y yo saldremos ahora y ninguno de ustedes va a detenernos.

Todos se volvieron, incluso el implacable multimillonario, cuya serenidad se descompuso con un gesto de estupor y de alarma. En la mano izquierda Olga esgrimía su pistola. En la derecha, entre el pulgar y el índice, agitaba como una ampolla medicinal la reliquia de Santa Cunegunda mártir.

—Déme eso inmediatamente —el magnate extendía hacia ella una mano temblorosa—. Démelo. Ahora. Es muy frágil. Extremadamente.

—No se acerque —tampoco Olga levantó la voz, pero sí el cañón de la pistola—. Sería muy fácil que se me cayera. Imagínese, se rompería en este suelo de mármol, y adiós sangre licuada de Santa Cunegunda. Lauren, ponte a mi lado. Estos señores tan amables van a dejarnos salir hasta la calle, sin un mal modo ni una mala palabra, no vaya a caérseme este frasco de cristal tan delicado.

Capítulo XXVII

UNA REVELACIÓN SORPRENDENTE

Olga manejaba la pistola con la misma desenvoltura y elegancia que un lápiz de labios. Que Lorencito no comprendiera los móviles de su voluble comportamiento no era un obstáculo, sino más bien, como él asegura, un acicate, para que el ya enfebrecido amor de nuestro paisano se convirtiera en idolatría. ¿Por qué lo salvaba ahora, si un poco antes lo había entregado alevosamente a sus enemigos? Cuando Lorencito estuvo junto a ella, Olga reclamó al estupefacto JD, más pálido que la mascarilla mortuoria del padre Damián, apóstol de los leprosos, que formaba parte de su colección.

—Y usted, tan caballero siempre —dijo Olga—, seguro que tiene la fineza de acompañarnos a la calle, y de quedarse con nosotros hasta que paremos un taxi…

—Quietos todos —ordenó JD a los guardaespaldas, que ya hacían amagos de atacar a Olga—. Obedecedla. Por lo que más quiera, señorita, no agite más la Santa Sangre…

Un mechón blanco le caía sobre la frente, y parecía haber envejecido varios años. Miraba la ampolla de cristal con ojos de fanatismo y de súplica. Olga le entregó la pistola a Lorencito, y él, que en su vida había tenido en sus manos un arma, se las arregló como pudo para encañonar al magnate, rogando con fervor al Santo Cristo de la Greña que no se le presentara el compromiso de hacer fuego.

—Les pagaré lo que sea —murmuraba JD—. Lo que me pidan…

—Andando —dijo Olga, con menos consideración que si empujara a un pordiosero—. Si todo va bien no tardará mucho en recuperar su reliquia.

—Elija cualquier otra —habían entrado en el ascensor, y sus puertas se cerraron ante las caras impotentes y furiosas de los guardaespaldas—. El brazo de Santa Teresa. La piedra que descalabró al Santo Niño Tarsicio, que tiene una mancha de su sangre…

Lorencito volvió a morirse de vértigo mientras bajaba el ascensor. Las puertas se abrieron y no había nadie ante ellas. Salieron al vestíbulo y los guardias de uniforme, a una señal de JD, depusieron sus armas y se quedaron alineados y expectantes mientras ellos pasaban. En la acera de la Castellana aguardaron unos minutos hasta que apareció un taxi libre. JD hizo ademán de quitarle a Olga la ampolla de cristal: rápidamente ella fingió que la tiraba, y el magnate quedó paralizado como estatua de sal. Entró primero Lorencito en el taxi. Después Olga bajó la ventanilla y le enseñó por última vez la reliquia a su desesperado propietario.

—Será mejor que no nos siga nadie —le dijo, con una sonrisa seductora—. Igual el taxi salta en un socavón o en una curva y se me rompe el frasquito.

Bajaron por la Castellana. Los modernos edificios de acero y de vidrio se alternaban con señoriales palacetes estucados en blanco. Olga guardó la ampolla y la pistola en su bolso, se echó hacia atrás en el asiento, tan tranquila que ni se volvió a vigilar por la ventanilla trasera, y todavía no le dijo nada al taxista. Sentado junto a ella, Lorencito la miraba en silencio, mudo de estupor. Reconoce ahora que un desolado pensamiento prevalecía sobre él: «Es mucha mujer para mí.» La estrecha falda se le había subido hasta lo más alto de sus bien torneados muslos, provocando en el pusilánime Lorencito el sobresalto de un recuerdo imborrable, y en sus dedos una codicia sensual que ya no se atrevería a satisfacer. Olga consultó su reloj, con ese ademán atareado que tienen las mujeres de negocios en los anuncios de la televisión.

—Llévenos al hotel Palace, por favor —le dijo al taxista, y luego, para sí—: Las doce. Ya habrán llegado.

—¿Quiénes? —Lorencito reconoció en su voz el apocamiento de costumbre.

—Ya lo verás —Olga sonrió: pero ahora lo miraba como si no lo viera, y la sonrisa de la noche anterior había desaparecido, tal vez, temía Lorencito, para siempre.

—¿Y el Santo Cristo de la Greña? ¿Dónde lo tienes guardado?

—En el mismo sitio donde estaba —Olga se echó a reír, pasándose una mano por el pelo—. Lo único que cambié fue la chapa con el número del almacén. Confiésamelo —hundiendo los dedos en una crencha rubia acercó su cara a Lorencito, y por un momento lo miró como antes—: ¿A que pensabas que te había traicionado? Hombre de poca fe... Los vi llegar y me di cuenta de que no teníamos escapatoria. Hasta ver qué pasaba fingí que me ponía de su parte.

Otra pregunta se le quedó para siempre a Lorencito en lo más íntimo de su conciencia: *Y anoche, ¿también fingías?* Pero no la hizo por timidez, por miedo a la respuesta. El taxi giró a la derecha en la plaza de Neptuno, que para Lorencito, después de la Cibeles, es la más monumental de Madrid. Buscaba su cartera, pero Olga pagó con una rapidez desconcertante. Lo traspasaba la emoción cuando al cruzar la Carrera de San Jerónimo ella lo tomó del brazo. Estaba de repente tan triste que ni siquiera se preguntó a dónde iban. Era la variedad más arraigada de su tristeza, la de los anocheceres de octubre en El Sistema Métrico, la primera tarde que se enciende la luz eléctrica a las seis.

Sin que se diera cuenta habían llegado a la escalinata del Palace, donde montaban guardia dos porteros de librea y chistera que intimidaron profundamente a Lorencito. Pensó, con su arraigado apocamiento, que a él no lo dejarían entrar. Olga cruzó junto a ellos sin mirarlos, así que no vio la reverencia que le dedicaron. El vestíbulo manifestaba un lujo que Lorencito conceptuó de asiático. Olga se separó de él, desgarrándole el alma durante unos segundos, y fue a preguntar algo en el mostrador de recepción. Para subir las escaleras ricamente alfombradas lo tomó de la mano, aunque sin darle a ese gesto demasiada importancia, lo cual sumió a Lorencito en un trance casi luctuoso de felicidad. En un ascensor con espejos subieron a la tercera planta. Hundir los pies en aquellas alfombras era como caminar por un trigal. Techos altos, divanes de cuero, mesitas con figuras de bronce, puertas de caoba con números dorados: hasta ese momento, la idea máxima del lujo que había poseído Lorencito era la del hotel Consuelo, de Mágina, que tiene agua caliente y bidet en la mayor parte de sus habitaciones.

Olga le soltó la mano para llamar con los nudillos a una puerta. La abrió un hombre envuelto en un batín de seda con bordados en oro: porque su capacidad de asombro ya estaba casi agotada Lorencito no se extrañó de ver a don Sebastián Guadalimar. Olía a whisky y a colonia y llevaba un cigarrillo justo entre las puntas de los dedos índice y corazón, como si le diera un poco de asco sostenerlo.

—*Avanti* —dijo el prócer—. Amigo Quesada, siempre es un placer verlo, a pesar de la precipitación del *rendez-vous*. Espero que nuestro pequeño *affaire* haya concluido satisfactoriamente. Discúlpeme que lo reciba *en robe de chambre*. En cuanto a usted, desconocida señorita, su llamada de anoche nos pareció a la condesa y a mí, cómo diría, un tanto *shocking*... Pero ya ve, hemos venido, aunque *ligeros de equipaje, casi desnudos, como los hijos de la mar*, que diría el humanísimo don Antonio... Disculpen que hayamos instalado nuestros lares en la habitación principal, y que los recibamos en la salita de esta mediocre *suite*.

—¿Está su mujer? —preguntó Olga.

—Si se refiere a la *contessa* —don Sebastián se inclinó ligeramente—, en estos momentos concluye su *toilette*. Si me disculpan...

Iba a dejarlos solos, pero Lorencito le cortó el paso. El respeto que en otro tiempo le había inspirado don Sebastián estaba convirtiéndose en animadversión y en rencor. Aunque también reconoce que pagó con él su despecho hacia Olga.

—Un momento, señor conde —dijo, no sin sorna—, que yo también tengo que decirle unas palabras, aunque no sean en francés.

—*Mon cher* —don Sebastián Guadalimar palideció: de un empujón Lorencito lo había hecho sentarse—, dejemos para más tarde ciertos detalles enojosos…

—Ahora lo veo todo claro —dijo Lorencito: el labio superior volvía a temblarle—. Usted estaba conchabado con los ladrones. Usted tuvo la idea de enredarnos al pobre Matías Antequera, que en paz descanse, y a mí, para que nos tomaran por culpables del robo. Si no, ¿por qué sabían que yo paraba en la pensión del señor Rojo?

—No se sulfure, *mon ami* —don Sebastián encendió otro cigarrillo—. Puedo explicárselo todo… Usted es víctima de un *malentendu*…

—Ya da lo mismo, no se cansen —intervino Olga—. Usted, señor conde, y su señora, engañaron a este pobre hombre, pero el caso es que la venta que proyectaban se ha frustrado, y que la imagen la tengo yo.

—¿Y a qué espera para devolvérnosla? —en la puerta de la salita había aparecido la condesa de la Cueva: no hay por qué describir su famoso pelo negro y ensortijado, su audaz y suculento escote, su espléndida madurez, su altivo porte de aristócrata.

—A que usted me reconozca como única heredera de su título y de su fortuna —absorto en la belleza de Olga, Lorencito no podía creer lo que estaba escuchando—. A que usted acepte públicamente y por escrito que soy su hija…

—Pero, Concha —exclamó, tan asombrado como Lorencito, don Sebastián Guadalimar—. Tú me juraste que tu primer marido también era impotente…

—Y no te mentí —la condesa, trémula, desfallecida, se apoyó en la pared—. El padre de esta chica es el difunto Matías Antequera.

—Pero yo creía —articuló con dificultad Lorencito— que Matías era… homosexual perdido…

—Y eso qué importa —don Sebastián tenía hundida la cabeza y se mesaba los cabellos blancos—. Usted no conoce a esta mujer. Es capaz de tirarse al Doncel de Sigüenza.

Capítulo XXVIII

ALGÚN TIEMPO DESPUÉS

Apuntaba el amanecer del Jueves Santo en la plaza Vázquez de Molina. Faltaban unos minutos para que sonaran en el reloj del Salvador las campanadas de las siete, pero las majestuosas puertas herradas ya empezaban a abrirse, y un devoto rumor de oraciones y emocionados suspiros sobrevolaba como una brisa matinal a la madrugadora multitud congregada en los balcones y en las aceras de la plaza, en medio de la cual se había formado la doble fila de los penitentes del Santo Cristo de la Greña, con sus túnicas violeta, sus pies descalzos y sus capirotes de raso negro, a los que en Mágina llamamos capiruchos. Muy pronto, justo cuando el trono empezara a salir y sonaran solemnemente las siete campanadas, el primer rayo de sol descendería sobre el bajorrelieve renacentista de la Transfiguración que orna la portada de la iglesia. Pero las velas moradas aún ardían en el interior de las tulipas de los penitentes, otorgando a sus caras tapadas una claridad espectral, y el olor de la cera y del humo se confundía en el frío aire matinal con el que brotaba de los incensarios de plata.

Toda Mágina, sin distinción de ideologías, edades, de clases ni de credos, había madrugado, como cada Jueves Santo desde hace más de cuatro siglos, para presenciar la salida del Cristo de la Greña. Unos segundos antes de que dieran las siete se oyeron los golpes que avisaban a los costaleros de que debían prepararse para alzar el trono como un solo hombre y por toda la plaza se extendió como en oleadas un silencio tan puro que se habría podido escuchar el vuelo de una mosca, en el caso de que tan inoportunos insectos volaran en las madrugadas frías de principios de abril. Empezó a tintinear entre las filas de encapuchados una campanilla litúrgica, y los que aún conversaban o permanecían apoyados en sus varales guardaron silencio y se irguieron en respetuosa expectación. Un concejal de chaqué apagó rápidamente el cigarrillo. Los guardias civiles en uniforme de gala que debían escoltar el trono acentuaron su marcial gallardía, poniéndose firmes con un ruido veloz de taconazos, correajes y culatas. El director de la Banda Municipal levantó la mano que sostenía la batuta, alzando las cejas y poniéndose de puntillas, para que los músicos atacaran en el momento justo las notas vibrantes de la marcha de la cofradía, que iría seguida por el Himno Nacional cuando el trono ya hubiera abandonado la iglesia.

En un balcón cercano, adornado, como casi todos los de las calles que cubre la procesión, con la enseña rojigualda, el tantas veces laureado poeta Jacob Bustamante revisaba el papel, en forma de pergamino, donde llevaba escritos los versos vehementes que recitaría con ademanes de profeta arrebatado o de místico cuando el trono se detuviera frente a él. En el mismo balcón un foco cegador anunciaba la presencia de las cámaras de la televisión, que transmitirían en directo a todos los hogares andaluces el desfile procesional.

Dieron las siete. Las puertas del Salvador se abrieron del todo, empezaron a sonar los acentos elegíacos de la marcha sacra, el trono del Santo Cristo de la Greña surgió balanceándose levemente al paso de los costaleros, entre un resplandor de cirios encendidos que se reflejaban en las molduras barrocas de su basamento. Después de la marcha y del Himno Nacional vibró en el aire un trompeterío con ayes y quiebros de saeta. Hombres, mujeres y niños se persignaban con sincera unción al paso de la imagen. Algunos caían de rodillas dándose golpes en el pecho. Detrás del trono, entre las dos filas interminables de penitentes, avanzaba la comitiva de autoridades civiles y eclesiásticas, destacando en ella la corporación municipal bajo mazas, pues nuestros ediles, aunque socialistas, son de una religiosidad admirable, y no hay procesión ni novena en la que no se personen, ya corporativamente, ya a título individual.

Tras las dignidades eclesiásticas caminaban, también encapuchados, los directivos de la cofradía, portando los estandartes de la misma, salvo el presidente, que marchaba en el centro, llevando una gran cruz penitencial que sostenía en alto entre las dos manos, si bien, para aliviarse un poco el peso, apoyaba su base en un estribo de cuero atado a su cintura. No sólo iba descalzo: arrastraba con lúgubres sones una cadena ceñida con grilletes a sus pies. Aupándose con dificultad en la tercera o cuarta fila de la multitud, un hombre, Lorencito Quesada, lo reconoció por la majestuosa elegancia de sus andares: aquel encapuchado era don Sebastián Guadalimar, que ese año, según murmuraban con admiración los fieles de Mágina, había redoblado los rigores habituales de su sacrificio.

Desfilaba por último el trono de la Virgen, precedido y escoltado por sus camareras de mantilla. Las presidía, como todos los años, la condesa de la Cueva, pero en esta ocasión hubo una novedad de la que todo el mundo se hizo lenguas: junto a la condesa caminaba su hija, a la que contaban que había vuelto a encontrar después de buscarla con infructuosa desesperación durante veinticinco años, pues a poco de nacer unos desalmados la raptaron, en los tiempos en que la condesa y su primer marido aún vivían en la Riviera, donde nadie ignora cuán tristemente habituales son las tropelías de la Mafia. Era sin duda, no sólo la mujer más bella entre las camareras de mantilla, sino entre todas las de Mágina: pero su extraordinaria belleza, se comentaba luego en los corrillos donde suelen sacarse a sabrosa colación las menudas anécdotas de nuestra Semana Santa, no lo era en menoscabo del recogimiento y el recato ejemplares con que desfiló esa mañana, con la cabeza baja y el pelo rubio castamente recogido en un moño, llevando entre las manos un rosario y un libro de oraciones con las tapas de nácar.

Solitario, perdido entre la gente, ajeno a la procesión por vez primera en su vida, Lorencito miraba a Olga y procuraba acercarse lo más posible a ella, adelantando al trono para volver a encontrarla, atajando por los callejones desiertos para buscar una acera donde pudiese verla en primera fila. Sólo una vez los ojos de Olga lo miraron: se quedó inmóvil, palpitante, trastornado de amargura y amor. No la había visto desde que ella, su madre recobrada y su padre adoptivo lo despidieron sin mucha ceremonia en el Palace, después de que don Sebastián Guadalimar le exigiera un juramento de silencio y le prometiera un cuantioso cheque que hasta el presente no había recibido... Muy erguida y muy seria junto a su madre, Olga lo miró fijamente, y pareció que iba a sonreírle, pero en seguida apartó los ojos y Lorencito la vio alejarse de espaldas entre las mantillas blancas y los capuchones de los penitentes.

Ya era pleno día, y la procesión abandonaba la plaza del General Orduña enfilando la calle Mesones. Lorencito, que esa mañana ni siquiera llevaba su bloc de notas y su Sanyo, que saca todos los años, según dice, *para captar el ambiente de la calle*, cruzó los jardines que rodean la estatua y se dirigió, con la cabeza ladeada para no saludar, hacia los soportales, donde ese día estaba de guardia la farmacia de la licenciada Rosalía Mataró. Desengañado, como si se dispusiera a hacer testamento, había decidido llevar a la práctica una idea que le venía rondando desde que volvió de Madrid.

Empujó la puerta de cristales, que hizo sonar una campanilla. Y es en ese momento cuando tiene entrada en esta historia mi humilde persona. Trabajo de mancebo en la farmacia Mataró, pero mi verdadera vocación es la literatura, y dentro de ella, el periodismo. Ya sé que el mío es un sueño inalcanzable, pero cada vez que abro las páginas de *Singladura* y veo en ellas un artículo, una interviú o un reportaje firmados por Lorencito Quesada, cada vez que sintonizo Radio Mágina y escucho su bien timbrada voz, doy en imaginar que alguna vez yo podría ser como él, que las cosas que escribo, robándole horas al sueño, se publicarán un día, en letras de molde, en la última página del periódico, tal vez con una pequeña foto mía en el encabezamiento, y llegarán a todos los rincones de la provincia. Otros literatos, como Jacob Bustamante, que ha ganado todos los premios de poesía de la Diputación, son vanidosos y ególatras, desprecian al que está comenzando: Lorencito Quesada no. Desde que me atreví a llevarle, con temblorosa indecisión, mi primer manuscrito, la llaneza de su trato conmigo me ha sido tan valiosa y entrañable como sus acertados consejos. Como él mismo dice, no siempre están reñidos la sencillez y el talento.

Lo conozco bien: esa mañana del Jueves Santo lo vi triste. Me pidió que fuera a su casa después de mi trabajo, porque tenía que contarme algo muy en secreto. Por llegar cuanto antes ni siquiera comí. Nos encerramos en su estudio, donde tantas veces y con tanta paciencia ha revisado él mis conatos de artículos. Puso encima de la mesa su pequeño cassette. «Lo que voy a contarle», me dijo (a pesar de la confianza nos hablamos de usted), «será siempre un secreto entre nosotros, a no ser que a mí me ocurra algo. Es posible que mi vida esté en peligro. Sé demasiadas cosas, y aunque he jurado por mi fe de católico no divulgarlas, puede que algún día dejen de confiar en mí y decidan eliminarme... Por favor, no me interrumpa mientras hablo. Usted guardará la grabación de mis palabras, y para mayor seguridad no estaría mal que las transcribiera en sus ratos libres. Sólo si yo desaparezco de repente, o si muero en extrañas circunstancias, estará usted autorizado a difundir el contenido de las cintas. Júremelo, o prométamelo».

Juré, con un nudo en la garganta. Bastaba mirar los ojos de Lorencito Quesada para comprender que no bromeaba. Oprimió los botones de *record* y *play* en el cassette. Se aclaró la voz, dijo «probando, probando», se aseguró de que el excelente aparato grababa, rebobinó la cinta. Me ofreció una copa de quina San Clemente, que yo agradecí sin aceptarla, porque no bebo nunca.

—Fue hace unas tres semanas —comenzó, paladeando el primer sorbo de vino dulce—. Daban las once en el reloj de la plaza del General Orduña…

ÍNDICE

Impreso en Litografía Rosés, S. A.
Progrés, 54-60. Polígono La Post
Gavá (Barcelona)